なぜ、その英語では通じないのか？

マーク・ピーターセン

集英社インターナショナル

なぜ、その英語では通じないのか?

まえがき　4

Contents もくじ

Chapter 1
日本語と英語のギャップを考える

8　revengeの用法
　　リベンジ（復讐）好きの日本人

13　「頑張る」をどう表すか？
　　英語で単純に「頑張れない」わけ

18　「カタカナ英語」を考える
　　バージン・ロードは英語なのか？

22　「趣味」を英語でどう表すか？
　　読書はhobbyではありません

26　「苦手」は英語でどう表す？
　　「私は英語が苦手です」の訳し方

34　「知る」＝knowなのか？
　　意外と知らないknowの用法

39　「ほとんど」を表すには
　　almost＝「ほとんど」にあらず

44　think, feel, realizeの用法
　　単純に訳せない「思う」

52　「甘い」と"sweet"
　　甘さを表す多様な英語表現

57　should, must, had betterの用法
　　最適な「〜べき」の表現はどれか？

Chapter 2
知ってるつもりの基本文法・語法

64 「ある」をどう表すか?
「There＋be動詞」かhaveか?

68 「〜など」をどう表すか①
"such (〜) as 〜"を使いこなす

72 「〜など」をどう表すか②
使いこなしたい"including 〜"

76 neverの意味
「絶対」ではないnever

81 also, too, as well, besides の使い方
「〜も」「また〜」を効果的に表すには?

86 quiteの使い方①
「まったく」か「けっこう」か?

90 quiteの使い方②
名画のセリフで学ぶquite

94 quite の使い方③
quiteは、大した副詞

98 「to＋動詞の原型」と「動名詞」
"to〜"と"〜ing"の違いは?

103 some, any 〜の用法
微妙な意識から生まれる違い

108 willの意味①
will＝「でしょう」は間違い

112 willの意味②
willが起こす勘違い

116 様々な比較の形
"compared to [with] 〜"の出番はいつか?

Chapter 3
一歩進んだ英語表現を目指して

122 noとnotを使わない否定文
見かけは肯定文の否定文

128 副詞と前置詞の組み合わせ
謎の「動詞＋副詞＋副詞＋前置詞」

132 becauseとsince
because [since] をどこに置くか?

137 「受動態」
受身の効果的な使い方

142 however, but, yet などの用法
「しかし」を表す英語

148 関係代名詞とコンマ①
コンマで決まる関係詞節の意味

153 関係代名詞とコンマ②
コンマを使いこなす方法

158 分詞構文①
洗練と簡潔さを求めて

163 分詞構文②
過去分詞を使った分詞構文

168 分詞構文③
忘れてはならない分詞構文のルール

173 倒置
倒置を使いこなす

180 一般論とwe
weの使用が多すぎる

186 手紙の書き方
礼状の書き方を考える

まえがき

　大昔に受けていた「日本語」の授業での出来事である。和食について論じていたところ、日本人の先生が「みなさん日本に来て、うなぎとか明太子とか納豆とか、自分にとって新しい食べ物をいろいろ試してみる勇気があっていいですね。特にチェルシーさんはそうみたいですね」と私たち受講生をほめてくれた。それに対して、チェルシーというアメリカ人の女性が、涼しい顔で「私は**悪い例**です」と応えた。一瞬の沈黙のあと、先生は不思議そうにチェルシーを見た。

　一方、英語圏出身者のみで構成されていた私たち受講生は、特に何も感じなかった。なぜ先生が怪訝そうな表情をするのか理解できなかったのだ。というのは、そのアメリカ人女性が放った「日本語」が "I'm **a bad example**."（私はその**例としてはふさわしくない**）の正しい訳だと思っていたのだ（また、チェルシーの継母がたまたま日系人で、小さい頃から日本料理で育ってきたことも先生以外は皆知っていた）。

　私たちはそのときはまだ、英語の感覚にもとづいて日本語を組み立てていたので、この「私はその**悪い例**です」に対してこれといった違和感を覚えず、先生のほめ言葉に対するふさわしい表現だと思っていたのだ。もちろん先生は、彼女の事情を知らなかったのだが、仮に知っていたとしても、この「私は**悪い例**です」という日本語は、やはりちょっと不自然で奇妙な表現として受け取られてしまっただろう。

　本書では、逆のケース、つまり一般の日本人の書く英文によ

く見られるもので、日本語の観点からは特に違和感を覚えないが、意図が伝わらない英語表現を数多く取り上げて、その解決法を示している。例として選んだものの多くは、私が大学で受け持っている「英作文」の授業でよく目にするものだが、日本人の書いた英語論文や英文メールを添削するときに出合った興味深い例も、その中には含まれている。

なお、本書は、基本的に「伝えたい意味が通じる英文」を書くために努力している人の役に立つことを願い執筆したものだが、日常的な会話に使えるヒントも多く盛り込んだつもりだ。通じる英語を書くことと会話の上達が不可分の関係であることは、英語のみならず、語学を真剣に勉強している方には、分かってもらえるだろう。

また、なるべくこれまでの私の著書で取り上げたことのない英語の用法を中心に解説したつもりだが、will の用法など誤解の根が極めて深く、もう一度確認したほうがいいと思われるポイントは、今回も取り上げざるをえなかった。

いずれにしても、ここで取り上げた課題を一つ一つ克服していけば、英語の「底力」は確実に向上するはずだ。少なくとも日本語と英語では発想が異なっていることを意識するだけでも、英語の伝達力は高まると思っている。

最後に、本書を書くにあたっては、集英社インターナショナルの佐藤信夫さんにご尽力いただいた。また、いつも様々な示唆を与えてくださる全国の読者のみなさんにも、心からの感謝を伝えたい。ありがとうございます。

2016年3月　マーク・ピーターセン

本書は書き下ろしです。

本文中の▶▶▶A、▶▶▶B...の付いた文章は、
各節の最後に
「覚えたい重要例文」としてまとめてあります。

装丁・本文デザイン 髙橋 忍
カバー写真 内藤サトル

Chapter

1

日本語と英語の ギャップを考える

「国際化」が進んだ現在、
日本語の中には、一見英語に思える表現があふれています。
しかし、「日本語の感覚」で取り入れてしまった
擬似英語を使って書いたり話したりすると、
重大なコミュニケーションの障害を引き起こしかねません。
2つの言語の隙間を検証してみましょう。

▶▶▶ revengeの用法

リベンジ(復讐)好きの日本人

Revenge is a dish best served cold.
(**復讐**は冷めてから出したほうが美味しい料理だ)

妻が天丼屋で「復讐」する!?

　たまたまFacebookで見かけた日本語表現の話である。友だちが、奥さんと久しぶりに「思い出の天丼屋」を訪ねたことについて「前回は、体調がすぐれなかったためにいまひとつ楽しめなかったという妻のリベンジも兼ねて店へ行ってみました」と書いた文を見つけた。こうした「リベンジ」はごくふつうの現代日本語になっていることがよく分かるが、それを読んだ私は、あのかわいい奥さんが天丼屋にモロトフカクテル (火炎瓶) を投げつける瞬間を浮かべてしまった。やはり、私にはどうしても慣れない「カタカナ英語」があるようだ。

　逆のケースを考えれば、日本人も同じ気持ちになる場合が多いと思う。たとえば、英語に日本語からの外来語として **hōfuku** (**報復**) という言葉があり、アメリカ人が

　We went to the shop partly for my wife's **hōfuku.**

8　Chapter 1　日本語と英語のギャップを考える

と書いた文があるとする（あえて訳せば「我々は妻の報復を兼ねて店に行ってみました」）。それを見かけたら、たいていの日本人はびっくりするだろう。たとえ、アメリカ人が使う **hōfuku** と日本人が使う「**報復**」とは意味が違うということが十分に分かっていても、抵抗感を覚える日本人が多いのではないだろうか。言葉は理屈ではないのである。

しかし、**revenge** という英語は、名詞としても動詞としても、面白い使い方がたくさんある。たとえば、名詞としては "**get revenge** on ～" のように、**get** という動詞と組み合わせることが多く、

> She **got revenge on** her husband by secretly putting curry powder in his wine.
> （彼女は、夫が飲むワインに、密かにカレー粉を入れて、**恨みを晴らした**）　　　　　　　　▶▶▶A

のような文がその典型的な使い方である。似たような言い方では、

> She **took revenge on** her boyfriend by secretly releasing ear mites on his dog's fur.
> （彼女は、恋人の愛犬の毛に、密かに耳ダニを放して、**復讐した**）　　　　　　　　▶▶▶B

のように、**take** という動詞と組み合わせることもあるが、ニ

---

partly＝部分的に、幾分かは　secretly＝密かに
curry＝カレー（発音は、「カリー」に近い）　release＝解き放す
ear mite＝耳ダニ　fur＝毛、毛皮

ュアンスがちょっと違う。"She **got revenge on** her husband"では、「それで気が済んだ」という感じになるが、一方、"She **took revenge on** her boyfriend"のほうだと、彼女はさらなる「復讐」を企んでいるかもしれないという穏やかではないニュアンスが含まれる。

一方、**revenge**を動詞として使う場合、たとえば、

> I decided to **revenge myself** on the magazine for not printing my essay.
> （エッセイを掲載してくれなかったことに対して、私はその雑誌に**復讐してやる**ことにした）　　　▶▶▶C

のように、**再帰代名詞**と組み合わせることが多い。

また、日本でもよく知られているかもしれないが、

> **Revenge** is a dish best served cold.

という有名な格言がある。これは通常（天丼とは違って）「**復讐は冷めてから出したほうが美味しい料理だ**」という意味だが、「復讐してやる！」といちばん燃えているときよりも、「**復讐は少し冷静になってからやったほうがうまくいく**」という受け止め方もある。

なお、友だちの書いた話に戻るが、「前回は、体調がすぐれなかったためにいまひとつ楽しめなかったという妻の**リベンジも兼ねて**店へ行ってみました」ということを英語にするなら、

10　Chapter 1　日本語と英語のギャップを考える

We went to the shop **partly to make up for** the previous time, when my wife had been a bit under the weather and hadn't really been able to enjoy it. ▶▶▶D

と書けばいい。この "**make up for** ～" は「～を補う」や、「～を補正する」「～の埋め合わせをする」という意味でよく使われる表現である。

　幸いなことに、今回久しぶりにその天丼屋を訪ねた友だち夫妻は、「体調管理ばっちりの妻もおいしいと言って残さずいただきました」と、結局、うまい「リベンジ」ができたようだ。

覚えたい重要例文

A. get＋revenge＋on

She **got revenge on** her husband by secretly putting curry powder in his wine.
（彼女は、夫が飲むワインに、密かにカレー粉を入れて、**恨みを晴らした**）

B. take＋revenge＋on

She **took revenge on** her boyfriend by secretly releasing ear mites on his dog's fur.
（彼女は、恋人の愛犬の毛に、密かに耳ダニを放して、**復讐した**）

---

dish＝料理　serve＝飲食物を出す　previous＝前の、先の
under the weather＝調子が悪い

C. revenge ＋再帰代名詞

I decided to **revenge myself** on the magazine for not printing my essay.

(エッセイを掲載してくれなかったことに対して、私はその雑誌に**復讐して**やることにした)

D. make up for〜＝「〜の埋め合わせをする」を使う

We went to the shop **partly to make up for** the previous time, when my wife had been a bit under the weather and hadn't really been able to enjoy it.

(前回は、体調がすぐれなかったためにいまひとつ楽しめなかったという妻の**リベンジも兼ねて**店へ行ってみました)

▶▶▶「頑張る」をどう表すか？

英語で単純に「頑張れない」わけ

No matter how **hard I tried**, I still couldn't get the cork out of the bottle.
（私は、いくら**頑張っても**瓶からコルクを抜くことができなかった）

"Do your best!"が不快になる瞬間

　大昔、まだ日本語を勉強したことのない時分に、私はたまたまアメリカの大学で日本人の男子留学生と知り合いになった。ある朝、キャンパスでばったり会って話していたところ、私が"Well, I've got a test now—see you later."（じゃ、これから試験なので、またな）と別れのあいさつをしたら、彼は"Do your best!"と返した。それを聞いた私はびっくりし、少し不愉快な気持ちにさせられた。今なら、彼はただ単に日本語の感覚で「頑張ってね」と言ったつもりだということがよく分かるが、あのときは、「命令形の"Do your best!"と言われなくても、試験だったらベストを尽くすに決まっているだろう」と彼の「注意の言葉」に強い抵抗感を覚えたのだ。

　また、"Do your best!"という言い方には、上記のような

場面に不適切と思われるもう1つの理由がある。それは「その試験はどうせ無理だろうが、ベストを尽くせば悔いはないから」といったようなニュアンスがあるからだ。たとえば、自分の最も苦手とする「グループ面接」が翌日にあるので悩んでいる就活中の大学生がいるとする。そこで、その悩みを聞いた母親は、

> Well, just **do your best**.
> （まあ、ベストを尽くせばそれでいいのよ）

のように慰める。こうした場合こそ"**do your best**"という言い方の出番である。
　あのときの留学生は、きっとそのうち英語圏の「言語的習慣」に気づき、同じようなときに"Good luck!"と言うようになっただろうが、実際に「頑張る」という意味を英語で表したい場合、どういう表現がいいのだろうか？
　まず、私が見てきた、日本人の大学生が書いた英作文で極めて多いのは、こんな言い方だ。

> I am going to go to Australia next year, so I think
> I want to **study** English **hard** from now on.

英語としてはちょっと文意を測りかねるので、こうした文を書いた本人に訊いてみると、たいていの場合、伝えたかったのは「来年オーストラリアに行く予定なので、これからも英語の勉強を頑張りたいと思います」ということになる。

そこで、from now on は「これから**も**」という意味ではなく、「（これまでとは違って）これから**は**」という意味なので、from now on を省き、**study** English **hard** の部分を **keep studying** English **hard**（英語の勉強を頑張り続ける）と訂正する。
　また、"I think I want to ～" という言い方は、「～したいような気がする」といった、あやふやな感じの表現なので避けたい。また、もしそこで I think の部分を省き、

　"I **want to** keep studying English hard."
　（英語の勉強を頑張り続けたいです）

と直したとしても、want to という表現を使っていては、明らかな「やる」という意志ではなく、「やりたいなあ」というちょっとはっきりしない感じになってしまう。こういう表現を読んだり聞いたりした者の多くは、「じゃ、自由にすれば？」と言いたくなるだけだろう。結局、もともとの英文を

　I am going to go to Australia next year, so **I'll** keep studying English hard.
　（来年オーストラリアに行く予定なので、英語の勉強を頑張り続けます）

のように書き直せばいい。
　日本語では「私は～する」という断定的な言い方を避けるた

めに、それを「私は〜したい」、あるいは「私は〜したいと思う」と述べるのがふつうだろうが、英語の感覚ではそうした言い方は優柔不断に感じられるので、避けたほうがいい。

では、「頑張る」の用法をおおざっぱに3つに分けて、英語で表現する場合に可能な書き方の候補をそれぞれ考えてみよう。

覚えたい重要例文

A. 頑張る＝「努力する」を表す、3通りの書き方

① No matter how **hard I tried**, I still couldn't get the cork out of the bottle.

② Despite my **best efforts**, I still couldn't get the cork out of the bottle.

③ However I **worked at it**, I still couldn't get the cork out of the bottle.

(私は、いくら**頑張**っても瓶からコルクを抜くことができなかった)

B. 頑張る＝「我を通す」を表す、3通りの書き方

① Even though the excuse she made up was an obvious lie, she **stuck to** it.

② Even though the excuse she made up was an obvious lie, she **wouldn't yield**.

③ Even though the excuse she made up was an obvious lie, she **persisted with** it.

(彼女がこしらえた言い訳は明らかな嘘だったが、それでも**頑張ってそれを押し通そうとしていた**)

C. 頑張る=「ある場所を占領して動かないでいる」を表す、3通りの書き方

① The guards at the university's main gate **refused to budge**, and ultimately the demonstrators were unable to get in.

② The guards at the university's main gate **kept their place**, and ultimately the demonstrators were unable to get in.

③ The guards at the university's main gate **maintained their position**, and ultimately the demonstrators were unable to get in.

(大学の正門で警備員が**頑張っていた**ので、デモ隊は結局入れなかった)

---

cork=コルク(発音は「コーク」に近い)　despite=~にもかかわらず　make up=話をでっちあげる
obvious=明らかな　stick to =~にしがみつく　yield=屈する、譲る
persist=固執する　refuse=拒絶する　budge=屈する　ultimately=結局、ついに
demonstrator=デモ参加者　maintain=維持する、保つ

▶▶▶「カタカナ英語」を考える

バージン・ロードは英語なのか?

Down **the aisle** I'll walk with you
just to hear the words "I do."
(〈**祭壇までの**〉**通路を**あなたと歩く。
「誓います」という言葉を聞くためだけに)

カタカナ表記だったらよかったのに……

「リフォーム」(renovation) や「ランニング・ホームラン」(inside-the-park homerun)、「シャープ・ペンシル」(mechanical pencil)、「プレイガイド」(ticket agency) など、数え切れないほど多い和製英語は、英語の観点からすれば、たいていおかしく感じられるが、「カタカナ表記」であれば(つまり、「アルファベット表記」でなければ)、それは英語とは関係のない日本語に見えるので、さほど気にならない。ただ、reform や running homerun、sharp pencil、Play Guide などのように、アルファベット表記のものを見かけることもあり、そのときは相当不気味な感じがしてしまう。英語のつもりで使われているように見えるからである。

幸いに、私が大学で受け持っている「英作文」の授業では、

そうした使い方に出合うことが少なく、せいぜい freeter（フリーター）や byte（バイト［アルバイト］のつもり）くらいだが、街で見かける広告にはアルファベット表記が実に多い。これまで見たもので最も「違和感」があったのは、浜崎あゆみの曲「Virgin Road」の広告である。もちろん、これはちょっと特別なケースだ。具体的に言えば、virgin road は「バージン・ロード」とカタカナ表記になっていても、気持ち悪い和製英語なのである。もし、日本人が、アメリカの結婚式場の広告であの通路のことを Shojo-dōri（処女通り）と書かれているのを見かけたら、似たような気持ちになるかもしれない。また、アメリカでは男性同士の結婚もあるので、その場合、Dōtei-dōri（童貞通り）と書く可能性もある。

とはいえ、virgin road という英語表現は実際に存在する。しかし、その意味は「まだ誰も通ったことのない、完成したばかりの道路」というものだ。たとえば、

We were the first to go down what was until then a **virgin road**.
（我々は、それまで**誰も通ったことのない道路**を通った）

という言い方はごくふつうに見られる。

「バージン・ロード」という日本語を使って醸し出そうとする「純愛」の雰囲気は、1950年代のアメリカで流行っていたドゥーワップ音楽によく出てくる。その歌詞では、結婚式の「例の通路」のことを必ず **the aisle** と言う。あくまで「（細い）通路」

what was until then＝そのときまで〜であったもの

であって、road（通り、道路）ではないのだ。たとえば、The Five Satins の "To the Aisle" という曲の冒頭は、

> First a boy and a girl meet each other.
> Then they sit down to talk for a while.
> In your heart, you'll want her for a lover,
> while each step draws you closer to **the aisle**.
> 最初に、少年と少女が出会い
> それから、しばらく語らう
> 少年は彼女に恋人になってほしいと願い
> 一緒に時間を過ごして、結婚式での**あの通路**へと近づいていく

となっている。あるいは、Patti LaBelle & the Bluebells の **"Down the Aisle** (The Wedding Song)" という曲の冒頭は、

> Down **the aisle** I'll walk with you
> just to hear the words "I do."
> All of my life I want to be
> good and sweet till eternity.
> **（祭壇までの）通路**をあなたと歩く
> 「誓います」という言葉を聞くためだけに
> これから一生
> 永遠に優しくしてあげたい

20　Chapter 1　日本語と英語のギャップを考える

となっている。この歌詞で分かるように、アメリカの教会の結婚式では、花嫁と花婿が一緒に入り口から祭壇まで歩くこともある。もし「米製日本語」があれば、その場合の **the aisle** は「処女童貞通り」と言うかもしれない。

前出の詩的な表現に加えて、the aisle のごくふつうの例文を次に紹介しておく。果たして「純愛度」は下がるだろうか？

覚えたい重要例文

A. the aisleの用法 ❶

Usually, a ring-bearer and a flower girl precede the bride down **the aisle**.

（通常、リングボーイとフラワーガールが新婦に先立って〈**祭壇までの**〉**通路を**通る）

B. the aisleの用法 ❷

I was happy to have the chance to walk down **the aisle** arm-in-arm with my daughter.

（私は、娘と腕を組んで〈**祭壇までの**〉**通路を**一緒に歩く機会があってうれしく思った）

---

for a while＝しばらく　draw＝引っ張る
closer＝close（近い）の比較級（発音は「クローサー」に近い）
good and sweet＝「優しく」というニュアンス。P52を参照
eternity＝永遠　bearer＝運び手　precede＝～に先行する
bride＝新婦、花嫁　arm in arm＝腕を組んだ

▶▶▶「趣味」を英語でどう表すか？

読書はhobbyではありません

My father has **a variety of interests**, including watching Japanese professional baseball on television, reading historical fiction, and going to little-known hot springs.
（父は、日本のプロ野球をテレビで観たり、歴史小説を読んだり、秘湯に行ったりするなど、**多趣味**である）

趣味がない人は珍しいか？

　英会話の授業で学生に"What is your **hobby**?"と初めて訊かれたとき、私はいささかびっくりして、"I don't have a **hobby**?"と答えた。すると、学生は驚いたような顔をした。先生と生徒の間によく起こりうるこうした miscommunication（伝達不備）は、興味深いものだと思う。

　私がびっくりした理由は2つある。1つは、なぜ学生は、暗黙の前提として、私に**hobby**があるはずだと思っているのか、不思議に感じたからである。**hobby**という英語は通常、切手収集や、毛針作り、鉄道撮影、プラモデル、バラ園芸などのような、比較的「専門的」な趣味を表す言葉なので、そのような

22　Chapter 1　日本語と英語のギャップを考える

hobbyがない人は世の中にたくさんいるだろう。もう1つの理由は、"What is **your hobby**?"のように、所有格の **your** に単数形の**hobby**では、「あなたの唯一の**hobby**は何ですか？」という意味になってしまうからだ。

　一方、純粋に「趣味は何ですか？」と訊いたつもりの学生のほうは、私の答えを「私には趣味など1つもない」と受け止め、当然驚いた。もし純粋に「趣味は何ですか？」という質問なら、英語では、たとえば、

　　What do you **like to do in your spare time**? ▶▶▶A

のように訊けばいい（直訳は、「空いている時間に何をするのが好きですか？」）。そうすれば、**hobby**だけではなく、「本を読んだり、公園を散歩したり、映画を観たり、Facebookをチェックしたりする」というようなことも答えになるのである。

　あるいは、その他の訊き方として、

　　What do you **do for fun**? ▶▶▶B

　　Do you **enjoy** any particular **pastimes**? ▶▶▶C

なども挙げられる。

　なお、冒頭の

　　My father has **a variety of interests**, including

---

spare＝余分の　fun＝楽しみ　pastime＝娯楽、気晴らし

watching Japanese professional baseball on television, reading historical fiction, and going to little-known hot springs.
（父は、日本のプロ野球をテレビで観たり、歴史小説を読んだり、秘湯に行ったりするなど、**多趣味**である）

▶▶▶D

という英語は、日本人の大学生が書いた

My father has variety **hobbies**. For example, seeing Japanese professional baseball game's broadcast, reading historical novels, going to secret hot springs, and so on.

を訂正した文である。ここでリストアップされている「父の趣味」は、どれも **hobby** のようものではないので "**interests**" と直したのだが、その他に、たとえば、

My father **enjoys** a variety of **activities**, ...

My father has a variety of **things** he **enjoys doing in his spare time**, ...

などのように、いろいろの述べ方が考えられる。どれも意味は基本的に変わらないので、どれにするかは結局「趣味」の問題

24　Chapter 1　日本語と英語のギャップを考える

である。

覚えたい重要例文

A. 趣味を訊ねる❶

What do you **like to do in your spare time**?
（**空いている時間に**何を**するのが好き**ですか？）

B. 趣味を訊ねる❷

What do you **do for fun**?
（何を**するのが楽しみ**ですか？）

C. 趣味を訊ねる❸

Do you **enjoy** any particular **pastimes**?
（何か特別な**余暇の楽しみ**がありますか？）

D. 多趣味を表す

My father has **a variety of interests,** including watching Japanese professional baseball on television, reading historical fiction, and going to little-known hot springs.
（父は、日本のプロ野球をテレビで観たり、歴史小説を読んだり、秘湯に行ったりするなど、**多趣味である**）

little-known＝ほとんど知られていない　hot spring＝温泉

▶▶▶「苦手」は英語でどう表す？

「私は英語が苦手です」の訳し方

Sada Masashi's songs
are not at all to my taste.
(私はさだまさしの歌が**苦手です**)

苦手はさだまさしの歌

　私が初めて「苦手」という日本語を耳にしたのは、来日して間もない頃である。たまたま、さだまさしの歌を聴いて、人を感動させる彼の独特なテクニックにびっくりしたが、それについて日本人の友だちに訊いてみたら、「**僕は彼の歌はちょっと苦手だ**」と言われたのだ。そのときの「苦手」は、いわば「趣味的に納得しにくい」といったような意味だろうと想像した。

　その後に、たとえば「私は生のトマトが苦手です」などのように、食べ物に対する「苦手」もよく耳にするようになったが、それを「味覚的に、もしくは食感的に好きではない」と受け止め、比較的分かりやすい表現だと思った。が、それから長年、最も頻繁に耳にしてきた「苦手」なものと言えば、間違いなく「英語が苦手です」というワンセットになったようなフレーズである。

「英語が苦手です」と聞くと、たいていあまりいい気持ちはしない。本当は「苦手」ではなく、「あまりできない」と言ったほうが正確だろう、そして「あまりできない」というのは、「苦手」だからではなく、ただ単にできるようになる訓練をしていないだけだろう、と言いたくなってしまう。これは私個人の偏見かもしれないが、多くの場合、「英語が苦手です」は言い訳っぽく響いてくるのだ。

とはいえ、「苦手」は重要な日本語であるので、それぞれの使い方をどのように英語で表現すればいいか考えてみたい。たとえば、「さだまさしの歌が苦手」の場合、率直に

I **don't like** Sada Masashi's songs.

と言っても差し支えないが、

Sada Masashi's songs **are not at all to my taste**.　▶▶▶A

と言ったら「趣味的に合わない」という意味も含まれる。

また、たとえば、クラスメートの「三野くんが苦手」というように「相性が悪い」場合なら、もちろん、これも"**... don't like**...."を使ってもいいし、

I **don't get along with** Mino.　▶▶▶B

のように「うまくいかない」（not get along with）というよ

うに表してもいいケースであるが、

　　Mino and I **are incompatible**.

と言ったら、「相性が悪い」（imcompatible）点がはっきり表現される。

　また、もう1つの「"**... don't like....**"を使ってもいい」ケースとして、「生のトマトが苦手」が挙げられるが、もし味が嫌いという場合であれば、たとえば、

　　I **hate the taste of** uncooked tomatoes.

のように言い、あるいは「食感」（texture）のほうが嫌いだったら、

　　I **hate the texture of** uncooked tomatoes.　　▶▶▶C

のようにすればいい。いずれにしても、どこが嫌なのかはっきり述べた表現になる。なお、食感の場合、口あたりや舌ざわりのどこが苦手なのか具体的に述べたほうがいいと思えるケースも少なくない。たとえば、オクラのネバネバ（slimy）したところが苦手の場合なら、

　　I **dislike the slimy mouthfeel** of okra.

のように、具体的に述べればいい。

　ちなみに、もし逆にそうした「ネバネバ」が好みであれば、ネガティヴな意味を表す **slimy** という形容詞の代わりに **slippery** を使って、

　　I love the slippery mouthfeel of okra.　　▸▸▸D

のように言えばいい。

　また、別のレベルの「苦手」の話であるが、私の友人には、雄鶏(おんどり)が極端に苦手な女性がいる。とりわけ、その鶏冠(とさか)や鋭い嘴(くちばし)の曲線、肉垂(にくだれ)、足の後ろに突き出ている蹴爪(けづめ)が怖くて、写真を見ただけで気絶しそうになるらしい。酉年(とり)に送ってくる年賀状を見ることさえ怖いと思う人である。彼女のそうした「苦手」については、たとえば、ただ「怖い」ということだけだったら

　　She's **afraid of** roosters.　　▸▸▸E

のように言えばいいし、もう少し深刻な問題として説明したいなら

　　She **suffers from a phobia**（＝恐怖症）**about** roosters.　　▸▸▸F

のように言えばいい。また、くだけた表現では、

---

uncooked＝火が通っていない　dislike＝嫌う　mouthfeel＝口あたり、舌ざわり
rooster＝雄鶏　suffers from＝〜に苦しむ

> She **gets freaked out**（＝怖くて異常な興奮状態にされる）**by** roosters.

という言い方も考えられる。

能力がないのか、嫌いなだけか？

　ところで、これまでここで見てきた「苦手」の使い方は、どれも英語で "... don't like...." と言ってもおかしくない例だが、そうではない場合もある。たとえば、テニスの名選手ロジャー・フェデラーは、なぜか、ずっとスペイン人のラファエル・ナダルをいちばん苦手な相手としてきたのであるが、これは個人的好き嫌いは関係なく、フェデラーにとってナダルは実に手ごわい相手なのだ。こうしたケースなら、たとえば、

> Nadal **has been** Federer's **nemesis**.
> （nemesis ＝極めて手ごわい相手）　　　　　▶▶▶**H**

のように表現すればいい。

　また、「不得意」の意味で、たとえば、「私は語学が苦手です」という似たような使い方も考えてみよう。これは、語学の勉強に必要な才能が足りないということであり、そうした人間は決して少なくないだろう。自分についての一般論としての「私は語学が苦手です」は、英語では、たとえば、

> ① **I have no talent for** foreign languages.　　▶▶▶**I**

② I **have no aptitude for** foreign languages. ▸▸▸J
　③ I'**m poor at** foreign languages. ▸▸▸K

などのように言えばいい。

　しかし、**複数形**の **foreign languages** を使って、語学に対する才能について一般的に述べているこうした「苦手」は、「私は英語が苦手です」のようにある特定の言語に対する才能について述べる「苦手」とはちょっと違うだろう。もちろん、

　I **have no talent for** English.
　I **have no aptitude for** English.
　I'**m poor at** English.

などのように言ってもいいのだが、そこで、「英語という1つだけの特定の言語には具体的にどういった特徴があって、自分の才能とどんな関係があるのだろう、ただ嫌いで勉強していないだけではないの？」と問われてもおかしくないだろう。また前出の3つ目の表現である

　I'**m poor at** English.

は単数形の English なので、通常、才能の問題について言っているのではなく、「英語（だけ）はあまりできない」と言っているように受け止められる表現である。

　いずれにしても、とりわけ大学生がよく言う「僕は、英語が

---

talent＝才能、天分　aptitude＝適性、素質

苦手なんだ」には、私は慣れているし、その気持ちも十二分に分かるつもりであるが、ただ、まるでそれを自慢しているような調子で言う人もたまにいて、時々びっくりさせられることがある。

覚えたい重要例文

A. 趣味的に合わない「苦手」

Sada Masashi's songs **are not at all to my taste**.
（私はさだまさしの歌が**苦手です**）

B. 相性が合わない「苦手」

I **don't get along with** Mino.
（三野くんのことが**苦手です**＝三野くんとはうまくつきあえない）

C. 食感が「苦手」

I **hate the texture of** uncooked tomatoes.
（私は生のトマトの**食感が大の苦手です**）

D. 食感が「大好き」

I **love the slippery mouthfeel** of okra.
（私はオクラの**ネバネバした食感が大好きです**）

E. ただ怖い「苦手」

She's **afraid of** roosters.
(彼女は雄鶏が**苦手です**)

F. 恐怖を覚えるほど「苦手」

She **suffers from a phobia about** roosters.
(彼女は雄鶏**恐怖症**です)

H. 敵としての「苦手」

Nadal **has been** Federer's **nemesis**
(フェデラーにとってナダルは**ずっと苦手な相手**です)

I. 才能が足りない「苦手」❶

I **have no talent for** foreign languages.
(私は外国語が**苦手です**［才能がありません］)

J. 才能が足りない「苦手」❷

I **have no aptitude for** foreign languages.
(私は外国語習得が**苦手です**［まったく向いていません］)

K. 才能が足りない「苦手」❸

I'm **poor at** foreign languages.
(私は外国語が**苦手**［**下手**］**です**)

▶▶▶「知る」＝knowなのか？

意外と知らないknowの用法

I want to **learn** how to make good-tasting risotto.
(私は、美味しいリゾットの作り方を**知りたい**)

「知っている」と「知るようになる」の違い

　数年前に東京で見た場面の話である。「美奈穂さんも来るみたいですよ」と言われたアメリカ人が「私は彼女を**知ります**」という妙な日本語で応えていた。私は、その「**知ります**」を耳にしたとき、非常に懐かしく思った。というのも「英語圏人」の日本語学習者は、初歩の段階では「**知る**」という動詞を英語の"know"と一対一で対応させて暗記する人が多く、私もその１人であったのだ。

　「**知る**＝know」と勘違いしてしまったら、"I **know** her."（彼女を**知っている**）のことを「私は彼女を**知ります**」と言ってもおかしく感じない。また、同じように勘違いしている日本人の英語学習者も少なくないようであるが、日本人の場合は、たとえば「そのとき、私はメキシコ文化についてたくさんのことを**知りました**」を

At that time, I **knew** many things about Mexican culture.
(そのときは、私はメキシコ文化についてたくさんのことを**知っていました**)

と書いてしまいかねない。当然のことながら、「**知る**」は「**知らない状態から知っている状態へ**」というプロセスを表す動詞だが、これに対して、**状態動詞**である **know** は、プロセスではなく、「**知っている状態そのもの**」を表す。もし「そのとき、私はメキシコ文化についてたくさんのことを**知りました**」を英語で書きたいなら、**learn**、**come to know**、**find out** など、「**知らない状態から知っている状態へ**」というプロセスを表す**動作動詞**を使って

At that time, I **learned** [**came to know**] [**found out**] many things about Mexican culture. ▶▶▶A

と書けばいいのだ。

なお、**learn** と **come to know** と **find out** には、ちょっとした使い分けがある。たとえば、「私は、美味しいリゾットの作り方を**知りたい**」ということを、まず、「**学ぶ**」といった感じのある **learn** を使って

I want to **learn** how to make good-tasting risotto. ▶▶▶B

と書けば、「**誰かに教えてもらうつもり**」というニュアンスが出てくる。

また、これとは違って、「**知るようになる**」といった感じのある **come to know** を使って

> I want to **come to know** how to make good tasting risotto.

と書けば、「**普通の日常生活を送りながら、だんだん覚えていくつもり**」というニュアンスが出てくる。

そして、最後に、「**調べる**」といった感じのある **find out** を使って

> I want to **find out** how to make good tasting risotto.

と書けば、「**自分から調べて覚えていくつもり**」というニュアンスが出てくるのである。

ちなみに、英語を母語とする日本語学習者がよく「不思議」に感じるもう1つの「**知る**」がある。それは「**関わりを持つ**」や「**関知する**」という意味を表す「**知る**」だ。具体的に言えば、「それは彼の**知った**ことではない」のように用いられる「**知る**」だ。こうした使い方を

> That's **none of** his **business**.

That's **no concern of** his.　　　▸▸▸C

のように暗記するが、英語の観点からは、「**知った**」はどうしても**過去形**に思えてしまう。つまり、「それは彼の**知った**ことではない」は、

That's not something he **learned**［**came to know**］［**found out**］.
（それは彼の**知ってきた**ことではない）

と言っているかのように思えてしまうのである。多くの日本語学習者にとって、たとえば「**知った**もんか」のような言い回しの意味が

Why should I care?

であると正しく覚えたとしても、そこにある「**〜た**」の使い方は永遠のミステリーである。

覚えたい重要例文

A.「知るようになる」

At that time, I **learned**［**came to know**］［**found out**］ many things about Mexican culture.
（そのとき、私はメキシコ文化についてたくさんのことを**知**

りました）

B. 「学ぶ」という意味

I want to **learn** how to make good-tasting risotto.
（私は、美味しいリゾットの作り方を**知りたい**）

C. 「知ったことではない」

That's **none of** his **business**.［That's **no concern of** his.］
（それは彼の**知ったことではない**）

▶▶▶「ほとんど」を表すには

almost＝「ほとんど」にあらず

I think **practically all** Japanese people are against war.
(ほとんどの日本人は戦争に反対だ、と私は思います)

「ほとんど」は名詞か副詞か

　日本語を学習する欧米人にとって「**ほとんど**」という言葉は非常に面白い。

　　番組は**ほとんど**終わっている
　　(The program is **almost** over.) ▶▶▶A

のように**副詞**として働くこともあれば、

　　4年生の**ほとんど**が就活中だ
　　(**Most** of the 4th-year students are in the middle of job-hunting.) ▶▶▶B

のように**名詞**として働くこともある。また、

job-hunt＝職を探す

ほとんどのウィスコンシン州民はベーコンが大好き
　　だ
　　（**Most** Wisconsinites love bacon.）

という形で「の」が付くと、まるで形容詞のように働いている感じもあるのだ。

　日本人の英語学習者の中にはなぜか、「**ほとんど**」を **almost** と一致させ、一対一で暗記している人が実に多い。これが端的に表れた例として、大学生が「**ほとんどの日本人は戦争に反対だ、と私は思います**」のつもりで書いた次のような英文がある。

　　I think **almost Japanese** people are against war.
　　（《**完全に日本人になっているわけではないが**》**ほとんど日本人となっている**人は、戦争に反対だ、と私は思います）

言うまでもなく、**almost** は副詞なので、修飾できる**品詞**は、**動詞**と**形容詞**と**副詞**だけだ。この **almost** が修飾しているのは、「日本人であるさま」を示すために**形容詞**として用いられている **Japanese** である。つまり、"almost Japanese people" は、"people who **are almost Japanese**"（**日本人**ではないが、それに「**極めて近い状態**」の人）という意味になってしまうのである。いわば、日本語が流暢で、日本の社会にすっかり溶け込んでいる外国人の男性のことを

40　　Chapter 1　日本語と英語のギャップを考える

The guy is **almost Japanese**.
（あいつは**ほとんど日本人**だ）

と言うのと同じである。

では、「ほとんどの日本人は戦争に反対だ、と私は思います」は英語でどう表現すればいいのだろうか？　まず、**副詞**の **almost** をやめ、**形容詞**の **most** を使って

I think **most** Japanese people are against war. ▸▸▸C

にすれば、問題がなくなる。もしどうしても **almost** という語を使いたいのなら、形容詞の **all** を使って、

I think **almost all** Japanese people are against war.

にしてもいい。ちなみに、これまで取り上げた **almost** は、どれも

The program is **nearly** over.
The guy is **nearly Japanese**.
I think **nearly all** Japanese people are against war.

のように、**nearly** と言い換えても意味は変わらない。また、

Wisconsinite＝ウィスコンシン州民

これは多くの日本人にはあまり馴染みのない言い回しかもしれないが、

> The program is **practically** over.
> The guy is **practically Japanese**.
> I think **practically all** Japanese people are against war.

のように、**practically** と言い換えてもいい。

なお、「僕は、**ほとんど**死ぬところだった」のように、「もう少しで」や「すんでのところで」の意味で用いられる「**ほとんど**」もある。この場合も almost を使って、

> I **almost** died.

と述べても特に差し支えないが、もう少し強調的な言い方として **very** を使って、

> I **very nearly** died.

としたほうがいいかもしれない（**very** は **almost** と **practically** には付かない副詞である）。もちろん、

> I **came within an inch of** dying.
> I **barely escaped** death.

I **all but** died.

などのように、同じ「強調」を表す言い方は他にも多い。

　簡単にまとめて言えば、「**ほとんど**」という日本語を英語で表したいとき、**almost** を用いる必然性は「**ほとんどない**」というより、全然ないのである。

覚えたい重要例文

A. ほとんどを表す副詞 ❶

The program is **almost** [**nearly, practically**] over.
（番組は**ほとんど**終わっている）

B. ほとんどを表す副詞 ❷

Most of the 4th-year students are in the middle of job-hunting.
（4年生の**ほとんど**が就活中だ）

C. ほとんどを表す副詞 ❸

I think **most** [**almost all**] [**practically all**] Japanese people are against war.
（**ほとんど**の日本人は戦争に反対だ、と私は思います）

---

within an inch of ...ing ＝危うく~しそうになる　barely＝かろうじて
escape＝逃れる　all but＝ほとんど

▶▶▶ think, feel, realizeの用法

単純に訳せない「思う」

I had a really good time in Miyazaki and **felt** that I wanted to visit other Kyushu prefectures.
（宮崎の旅がとても楽しかったので、
九州のその他の県に行ってみたいと**思った**）

「think＝思う」ではない!?

　英語圏で日本語学習をし始めると、まず、「する」や「いる」「ある」「言う」「見る」「行く」「来る」など、基礎的と思われる動詞をいくつも覚えなければいけない。中でも、「**思う**」という動詞は重要であるが、「**思う**」を think という英語と一対一で対応させて暗記する傾向がある。これは、一般の日本人の英語学習者にも見られる現象だろう。

　think という英語は、基本的に「**考える**」という意味なので、「**思う**」を「**考える**」で置き換えてもいいときには、「思う＝think」のように理解しても特に差し支えない。たとえば、「明日の授業を休講にしようと**思っている**［**考えている**］」、つまり、

44　Chapter 1　日本語と英語のギャップを考える

I'm thinking of cancelling tomorrow's classes.

というような場合がそれにあたる。しかし、そう単純には行かないこともよくある。いささか極端なケースであるが、たとえば、「彼は、兄の彼女のことを**思って**いるみたい」と「彼は、兄の彼女のことを**考えて**いるみたい」とでは話がだいぶ違うだろう。

　しかし、実際に問題となるケースは、「彼は、兄の彼女のことを**思って**いるみたい」のように「恋い慕う」という意味を表す場合の「**思う**」よりも、「そのときに感じたこと」や「そのときに気づいたこと」、あるいは「受けた印象」など示すために使われる「**思う**」のほうが多いようである。

　たとえば、日本人の大学生が書いた英作文で「初めて大相撲を観に行って、外国人の観客が多いことにびっくりした」という趣旨のものを見たことがあるが、その中で、「相撲は外国人にずいぶん人気があると**思った**」という意味のことが

I thought that sumo is quite popular among foreigners.

と書かれていた。こうした **think** の使い方では、たとえば、

I thought that Endō was the best wrestler that day.
（私は遠藤がその日の最も優れた力士だと**思った**）　　▶▶▶**A**

cancel＝取りやめにする

という「意見」を述べた場合と同じように、

> I **thought** that sumo is quite popular among foreigners.

は、まるで「そのときの私は、相撲は外国人にずいぶん人気がある、という**意見**を持っていた」と言っている感じになってしまう。もし thought を使わず、同じことを

> I **realized** that sumo is quite popular among foreigners.　　　▶▶▶**B**

と書けば、そのときに「気づいた」ことを示す英語になる。
　あるいは、似たような例であるが、たとえば、「宮崎の旅がとても楽しかったので、九州のその他の県にも行ってみたいと**思った**」というような場合なら、これは、**感じたこと**を述べているので、

> I had a really good time in Miyazaki and **felt** that I wanted to visit other Kyushu prefectures.　　▶▶▶**C**

となる。
　ちなみに、「彼は、兄の彼女のことを**思っているみたい**」という英語は以下のようになる。

- 少しだけフォーマル（Slightly Formal）：

He seems to **be enamored of** his older brother's girlfriend.

- 標準的（More or Less Standard）：

He seems to **have fallen for** his older brother's girlfriend.

- かなりくだけて（Quite Informal）：

He seems to **have a thing for** his older brother's girlfriend.

気をつけたいthoughtの用法

　また、もう1つの旅の話だが、「初めてのイタリア旅行」というテーマの英作文では、こんなセンテンスに出合ったことがある。

When I went to Naples, I **thought** it was an unsafe city.

この文は単独では具体的に伝えたいことがよく分からない。つまり、「ナポリに行ったとき、治安の悪い都市だなと**感じた**」と伝えたいのか、それとも「ナポリに行ったとき、治安の悪い都市だろうと**思っていた**」と伝えたいのかが、分からない。この過去形のthoughtでは「行ってみてから思ったこと」なのか、それとも「行く前から思っていたこと」なのか分からないのである。もしその場で**感じた**ことの話であれば

---

prefecture＝県、府　slightly＝少し、わずかに　be enamored of＝〜に心を奪われる
fall for＝〜に夢中になる、惚れる　have a thing for ＝〜に特別な感情を抱く
Naples＝ナポリ(発音は「ネイプルズ」に近い)

> When I went to Naples, I **felt** it **to be** an unsafe city. ▸▸▸D

と書けばいい。一方、もし**それまで思っていたこと**の話なら

> When I went to Naples, I **thought** it **would be** an unsafe city.

と書けばいい。この2つの文を、直接話法を使って書き換えれば、その違いが分かりやすくなるだろう。つまり、前者の

> When I went to Naples, I **felt** it **to be** an unsafe city.
>   ↓
> When I went to Naples, I **felt**, "This **is** an unsafe city."

に対して、後者は

> When I went to Naples, I **thought** it **would be** an unsafe city.
>   ↓
> When I went to Naples, I **thought**, "This **will be** an unsafe city."

となるのである。

　なお、「思う」を英語で表すのに **think** 以外の動詞として、これまで **feel** と **realize** を紹介してきたが、**imagine** と **believe** も勧めたい。たとえば、「彼女は今頃、僕たちの失敗にほくそ笑んでいるだろうと**思う**」というような「推測」の場合なら、

　　I **imagine** about now she's gloating over our failure.　　▶▶▶E

のように、**imagine** がピッタリの動詞になる。あるいは、たとえば、「彼は現在失業中だと**思う**」というように「**私の知っている限り、〜だと思う**」の場合なら、

　　I **believe** he's currently unemployed.　　▶▶▶F

のように、**believe** がピッタリの動詞になるのである。

　ちなみに、**believe** は、一般的に「信じる」というように暗記されているようだが、実際はこのように「**信じる**」という意味ではなく、ただ単に「**思う**」という意味で使われることが実に多い。たとえば「探していらっしゃる映画『ノーカントリー』は大学のメディアライブラリーに在庫があると**思います**」のようなことなら、

---

gloat over =〜についてほくそ笑む　currently=現在、目下
unemployed=失業中の

I **believe** the film you are looking for, *No Country for Old Men*, is in stock in the university's Media Library. ▶▶▶G

のように **believe** を使うのがふつうである。

覚えたい重要例文

A. 意見を述べる「思う」

I **thought** that Endō was the best wrestler that day.
(私は遠藤がその日の最も優れた力士だと**思った**)

B. 気づきを表す「思う」

I **realized** that sumo is quite popular among foreigners.
(相撲は外国人にずいぶん人気があると**思った**)

C. 感じたこと表す「思う」

I had a really good time in Miyazaki and **felt** that I wanted to visit other Kyushu prefectures.
(宮崎の旅がとても楽しかったので、九州のその他の県にも行ってみたいと**思った**)

D. 感じたこと表す「思う」

When I went to Naples, I **felt** it **to be** an unsafe city.
(ナポリに行ったとき、治安の悪い都市だなと**感じた**)

E. 推測を表す「思う」

I **imagine** about now she's gloating over our failure.
(彼女は今頃、僕たちの失敗にほくそ笑んでいるだろうと**思う**)

F.「信じる」ではないbelieve ❶

I **believe** he's currently unemployed.
(彼は現在失業中だと**思う**)

G.「信じる」ではないbelieve ❷

I **believe** the film you are looking for, *No Country for Old Men*, is in stock in the university's Media Library.
(探していらっしゃる映画『ノーカントリー』は大学のメディアライブラリーに在庫があると**思います**)

in stock＝在庫がある

▶▶▶「甘い」とsweet

「甘さ」を表す多様な英語表現

Marimo is a very **sweet**, affectionate miniature poodle.
(マリモちゃんは、非常に**かわいく**、**優しい性格**の人懐こいミニチュア・プードルだ)

「甘い味噌」をどう表現するか？

「甘い」という日本語は、文脈によっていろいろな意味を持つが、多くの人が「英語で言えばsweetに決まっている」と単純に考えているようだ。しかし、実際は、「甘い」が含まれている和文を英訳するときに、sweetを使っていいケースはかなり限られている。具体的に言えば、

　　このジンジャーエールは非常に**甘い**
　　(This ginger ale is very **sweet**.)

のように、「**砂糖や蜜のような味がするさま**」を表す場合ならばsweetを使ってもまったく差し支えないが、それ以外の場合は問題になりかねない。たとえば、「**塩気が少ない**」という

52　Chapter 1　日本語と英語のギャップを考える

意味で用いられている「私は**甘い**味噌が好きです」のような文であれば、当然のことながら、sweet を使わず、

 I like miso that is **very lightly salted**. ▶▶▶A

のように表現すればいい。あるいは「あの先生は生徒に厳しいが、自分の子どもたちには**甘い**」ということなら、英語では、

 That teacher is strict with his students but **overly indulgent** with his own children. ▶▶▶B

と書けば、伝えたいことがきちんと伝わるが、"... , but sweet with his own children" と書いたら、「……が、自分の子どもたちには、（本来）**かわいく、優しい性格**（のお父さんの姿）を見せながら接する」という意味になってしまう。
 似たような例として、「**物事に対する判断や見通しが安易で、厳しさに欠けるさま**」の意味を表すために用いられている「彼女は考えが**甘い**」のようなケースも挙げられる。これなら、

 She is **overly optimistic** [**too lax**] in her thinking. ▶▶▶C

と書けばいい。
 同じように、「**ゆるく、締まりがない**」の意味を表すために用いられている「ふたのねじが２つとも甘い」なら、sweet を

---

salt＝（ここでは動詞で）塩味をつける　strict＝厳しい　indulgent＝寛大な、甘い
overly＝過度に　optimistic＝楽観的な　lax＝厳しさに欠ける

使わず、

　　Both of the lid's screws are **loose**.　　　　　　　▶▶▶D

と書けばいい。

　なお、「**甘い**」と同じく、sweet にも「**砂糖や蜜のような味がするさま**」という意味以外で、比喩的に用いられることがある。たとえば、

　　The flowers had a **sweet** fragrance.
　　(その花は**甘い**香りがした)　　　　　　　　　　　▶▶▶E

　　I heard **sweet** music.
　　(**甘い**音楽が聞こえてきた)

のような使い方がある。しかし、こうした sweet と、日本語の「**甘い**」との間には、ちょっとした違いが見られる。日本語の場合は、文脈によって「**甘ったるい香り**」や「**甘ったるい音楽**」という**ネガティブ**な評価を表すこともあるが、英語のこうした sweet は、**ポジティブ**な評価しか表さないのである。もし「**甘ったるい香り**」の話なら、英語では"a **cloying** fragrance"と言い、「**甘ったるい音楽**」の話なら"**saccharine** music"と言えばいい。

　また、比喩的な使い方として、前出の"**sweet** with his own children"と同じように、

54　　Chapter 1　日本語と英語のギャップを考える

She thought he was a really **sweet** boy.
（彼女は彼のことを実に**かわいく、優しい性格**の少年だと思っていた） ▶▶▶F

Marimo is a very **sweet**, affectionate miniature poodle.
（マリモちゃんは、非常に**かわいく、優しい性格**の人懐こいミニチュア・プードルだ） ▶▶▶G

のような言い回しが挙げられる。このように**人間や動物の性格**について述べるために使われる sweet にちょうど当てはまる日本語の形容詞がない。**かわいさと優しさ**のいずれも同時に示す比喩的表現なのである。

覚えたい重要例文

A. 塩気の少ない「甘さ」

I like miso that is **very lightly salted**.
（私は〈塩気の少ない〉**甘い**味噌が好きです）

B. 「甘やかす」ことを表す

That teacher is strict with his students but **overly indulgent** with his own children.
（あの先生は生徒に厳しいが、自分の子どもたちには**甘い**）

---

screw＝ねじ　loose＝ゆるい、締まりがない　fragrance＝芳香
cloying＝甘ったるい　saccharine＝甘ったるい　affectionate＝情愛の深い
miniature＝小型の（発音は「ミニアチュア」に近い）

C. 「見通しの甘さ」を表す

She is **overly optimistic** [**too lax**] in her thinking.
(彼女は考えが**甘い**)

D. 「ゆるく締まりのない甘さ」を表す

Both of the lid's screws are **loose**.
(ふたのねじが2つとも**甘い**)

E. 比喩的に「甘さ」を表す❶

The flowers had a **sweet** fragrance.
(その花は**甘い**香りがした)

F. 比喩的に「甘さ」を表す❷

She thought he was a really **sweet** boy.
(彼女は彼のことを実に**かわいく、優しい**性格の少年だと思っていた)

G. 比喩的に「甘さ」を表す❸

Marimo is a very **sweet**, affectionate miniature poodle.
(マリモちゃんは、非常に**かわいく、優しい**性格の人懐こいミニチュア・プードルだ)

▶▶▶ should, must, had betterの用法

最適な「〜べき」の表現はどれか？

The bus is going to leave on schedule tomorrow, so you **had better not be late**.
(バスは予定通りに出発しますから、**遅れないでください**)

単純には訳せない「〜べき」

前節で取り上げた「甘い」と同じように、日本語を学習する欧米人にとって「〜べき」という言葉も非常に面白い。和文英訳の際、

・ケイトもその会議に**出席すべきだ**
(Kate **should** [**ought to**] **attend** the meeting, too.)
・我々は、その数字の正確さについて**異議を申し立てるべきだった**
(We **should** [**ought to**] **have challenged** the accuracy of those figures.) ▶▶▶A
・僕は、電子レンジで缶詰のスープを温め**ようとす**

accuracy＝正確さ

るべきではなかった
(I **should**n't [**ought**'nt **to**] **have tried** to heat canned soup in a microwave.)

などのように、ほとんどの場合、助動詞の **should** か **ought to** を使えば正確な表現になる。例外として挙げられる言い回しは、せいぜい、

・我々は、**来るべき蜂起**に備えなければならない
(We need to take precautions against **the coming** insurrection.)
・彼女はピアノで**恐るべき**才能を発揮した
(She exhibited her **awesome** talents on the piano.)
・僕は**然るべき**ときが来るまで童貞を守り続けるつもりです
(I intend to preserve my virginity until the **appropriate** time comes.)
・褒美があって**然るべき**だ
(It's **only natural** for there to be a reward.)

などのように、「**来るべき**」「**恐るべき**」「**然るべき**」のような独特な表現くらいである。

なお、たいていの和英辞典に見られる「〜べき」の英文用例では、**should** と **ought to** 以外の助動詞で、「考慮す**べき**事情

= circumstances that **must** be taken into consideration」のように、**must**を用いることも珍しくない。実は日本人が英文を書くときに、ここに引っかかるケースが意外と多い。たとえば、大学生が「春休みに台湾旅行を予定しているので、中国語を勉強す**べき**だと思う」のつもりで書いた、こんな英文に遭遇したことがある。

> I am planning a trip to Taiwan in the spring vacation, so I think I **must** study Chinese.
> （春休みに台湾旅行を予定しているので、中国語を勉強**しなければならない**と思う）

このセンテンスの添削で、私は**must**を**should**に書き換えた。というのも、「台湾旅行をするからといって、前もって中国語を勉強する**必要がある**」というようなことなどまったくないからだ。「中国語を少し勉強すれば、旅が幾分か楽しくなるだろう」といった程度の話だろう。

「～する［す］**べきだ**」を英語で表現したいときには、それは「**したほうがいいと当然思われること**」なのか、それとも本当に「**しなければならないこと**」なのかについて、考える必要がある。前者の場合には**should**か**ought to**、後者の場合には**must**となるのだ。

　もう１つの具体的な例として、私が

> Kate **should**［**ought to**］attend the meeting, too.

と訳した前出の「ケイトもその会議に**出席すべきだ**」という文がちょうどいいだろう。もし、たとえば「その会議に出席するのが彼女の仕事の一部となっており、しなければ必然的にクビになってしまう」ような極めて特別な事情があれば、**must** を使って

　　Kate **must attend** the meeting, too.
　　（ケイトもその会議に**出席しなければならない**）　　　▶▶▶B

にすればいいのだが、そうでない限り、**should** か **ought to** の出番になるのである。

　ちなみに、似たような表現で、"**had better ~**" という言い方もよく用いられる。これは、たとえば、通常「ケイトもその**会議に出席したほうがいい**」と訳される

　　Kate **had better attend** the meeting, too.

に用いられている "**had better ~**" だ。この表現は "**must ~**"（~しなければならない）と "**should ~**"（~すべき）とは意味がちょっと違う。基本的には「**~しなければマズいことになってしまう**」ということを示す言い方である。"**had better ~**" の出番の例として挙げられる状況は、「もしケイトもその会議に**出席しなければ上司が怒ってしまう**」や「もしケイトもその**会議に出席しなければ決断ができなくなってしまう**」などだ。

　もし読み手［聞き手］もその「マズいこと」が具体的にどう

60　　Chapter 1　日本語と英語のギャップを考える

いうことなのか分かるのなら"had better ～"を上記のように「～**したほうがいい**」と訳しても差し支えない。かといって、日本語で「～したほうがいい」ということなら何でも、"had better ～"としていい、というわけではない。たとえば、大学のサークル活動の話で、先輩が後輩に「明日、**遅刻しないほうがいい**」と忠告したケースを考えてみよう。もし遅刻したら、具体的にどういう「マズいことになってしまう」のかその後輩に分かるのなら、

You **had better not be late** tomorrow.

というように **had better** を使ってもいいのだが、分からない場合には、この表現は脅迫的に響く恐れが極めて高い。つまり、もしその「マズいこと」が「（合宿へのバスが定刻に出発するので）遅刻したら**一緒に行けなくなってしまう**」というようなことがはっきりしている場合なら問題ないのだが、そうでない場合の **had better** は、「遅刻したら**殴ってやるぞ**」や「遅刻したら**サークルをやめてもらうよ**」のように、なんらかの "veiled threat"（あからさまに言わない脅迫）を暗示することになってしまうのである。

　どうしても **had better** を使いたいのなら、

The bus is going to leave on schedule tomorrow, so you **had better not be late**.
（バスは予定通りに出発しますから、**遅れないでく**

ださい)　　　　　　　　　　　　　　　　　　　▶▶▶C

のように、その「マズいこと」が何であるかが相手に想像できるように述べたほうがいい。

覚えたい重要例文

A. should [ought to]を使う「〜べき」

We **should [ought to] have challenged** the accuracy of those figures.
(我々は、その数字の正確さについて**異議を申し立てるべきだった**)

B. mustの典型的な用法

Kate **must attend** the meeting, too.
(ケイトもその会議に**出席しなければならない**)

C. had betterの典型的な用法

The bus is going to leave on schedule tomorrow, so you **had better not be late**.
(バスは予定通りに出発しますから、**遅れないでください**)

Chapter

2

知ってるつもりの基本文法・語法

「There + be 動詞」の構文、
never や quite などの用法は、どれも
英語を学び始めた初期の段階に出合う基本中の基本ですが、
的確に使いこなすことは意外に難しいようです。
日常的に現れるこれらの事項を正確に理解できれば、
英語力は格段にアップするはずです。

▶▶▶ 「ある」をどう表すか？

「There＋be動詞」かhaveか？

I want to study abroad. I **have** three goals.
First, I want to talk with
many people from other countries.
（私は留学したいです。目標が3つ**あります**。
第一に、多くの外国人と話したいです）

「ある」＝「There + be動詞」にできないわけ

次の英文を考えてみよう。

> **There are** two subfamilies of chameleons.
> （カメレオンには亜科が2つ**ある**） ▶▶▶**A**

このように、何かの「存在」を示す「**There + be動詞**」という形の英語を日本語にする場合、「～がある」と訳すことがふつうである。が、逆の場合、つまり、「～がある」という日本語を英語にする場合、「**There + be動詞**」という形が不適切な表現になってしまうケースが多い。たとえば、日本人の大学生が書いた英作文には、こんなセンテンスが頻繁に出てくる。

64　Chapter 2　知ってるつもりの基本文法・語法

I want to study abroad. **There are** three goals.
First, I want to talk with many <u>foreigners</u>.

学生からすれば、これは「私は留学したいです。目標が3つ**あります**。第一に、多くの外国人と話したいです」という日本語の完璧な英訳のつもりだろうが、英語としてはおかしな言い方になっている。まず、**foreigners** という語の使用をやめなければならない。というのは、留学先に着いた瞬間、自分こそが **foreigner** となるわけだから、この語を使うのはふさわしくないのだ。ここでの **foreigners** を **people from other counties** のように訂正するべきである。

　また、"**There are** three goals." の "**There are**...." の使い方にも問題がある。たとえば、もし一般論として「マルタで英語を勉強する利点は3つある」という話なら、

There are three advantages to studying English in Malta.

の "**There are**...." がちょうどいいのだが、それは一般論として言っているからだ。これに対して、前出の "I want to study abroad. **There are** three goals." の場合は、筆者が述べる **goals**（目標）は一般的に誰もが持っている目標ではなく、あくまでも個人の **goals** にすぎないので、"**There are**...." は不適切な言い方となる。**自分自身の話**に限るこうした場合には、たとえば、

---

subfamily＝亜科　abroad＝外国で、外国に　advantage＝利点
Malta＝マルタ共和国。地中海にある島国で、元イギリス領

I want to study abroad. **I have** three goals. ▸▸▸B

のように述べればいいのだ。

　同じように、たとえば「気候変動を予測することは非常に難しい。これには2つの理由が**ある**」というように一般的に述べている場合なら、英語では「**There + be 動詞**」を使って

Climate change is very difficult to predict. **There are** two reasons for this. ▸▸▸C

のように述べればいい。これに対して、たとえば「佐江子と彼女の母親は、インド料理を食べないほうがいいと思っている。その理由は2つ**ある**」というように特定の個人のみに関する話なら、英語では「**There + be 動詞**」を使わず、

Saeko and her mother say that Indian food should be avoided. **They have** two reasons for thinking that. ▸▸▸D

のようにすればいい。

覚えたい重要例文

A. 何かの存在を示す「ある」

There are two subfamilies of chameleons.
（カメレオンには亜科が2つ**ある**）

B. 個人的な目標を示す「ある」

I want to study abroad. **I have** three goals. First, I want to talk with many people from other countries.
（私は留学したいです。目標が3つ**あります**。第一に、多くの外国人と話したいです）

C. 一般論を示す「ある」

Climate change is very difficult to predict. **There are** two reasons for this.
（気候変動を予測することは非常に難しい。これには2つの理由が**ある**）

D. 個人的な理由を示す「ある」

Saeko and her mother say that Indian food should be avoided. **They have** two reasons for thinking that.
（佐江子と彼女の母親は、インド料理を食べないほうがいいと思っている。その理由は2つ**ある**）

avoid＝避ける

▶▶▶「〜など」をどう表すか①

"such (〜) as 〜"を使いこなす

During the summer vacation, my younger sister read **such** important 19th century Russian novels **as** *Fathers and Sons*, *Crime and Punishment*, and *War and Peace*.
(夏休みの間に、妹は『父と子』『罪と罰』『戦争と平和』など、19世紀ロシアの偉大な長編小説を何冊か読んだ)

such as 〜より such 〜 as 〜 にしたい

　日本人の書いた英文を添削するときに、"... , such as 〜" という形を使ったセンテンスによく出合うが、私はそれを "... such 〜 as 〜" に書き換えることが多い。たとえば「私は軟式テニスやバドミントン、スカッシュ**など**のラケットスポーツが好きです。しかし、卓球は好きではありません」という意味を表すために書かれた

> I like racquet sports. For example, I like racquet sports, **such as** soft tennis, badminton, squash, <u>and so on</u>. But I don't like table tennis.

68　Chapter 2　知ってるつもりの基本文法・語法

がその典型である。まず、3つの短い文に切って書かれているところが稚拙な印象を与えてしまうので、これを

> I like racquet sports, **such as** soft tennis, badminton, and squash, but I don't like table tennis.

のように1つの文にまとめる。この英文は、文法的には正しいが、文体としては

> I like **such** racquet sports **as** soft tennis, badminton, and squash, but I don't like table tennis.　▶▶▶A

のように書き換えたい。そうしたほうが滑らかに流れる、すっきりした英文になる。
　なお、冒頭の英文に見られるように、日本語の「**など**」を表したい場合に、条件反射的に"…**, and so on**"を付け加える英語学習者が多いようだが、こうした英文には"…**, and so on**"はまったく無用である。というのも、「類似の物事の中から例として抜き出し、他にもある」ということを示す「**など**」の役割は、"**… , such as ～**"と"**… such ～ as ～**"がちゃんと果たしてくれるからである。
　もう1つ、"**… , such as ～**"→"**… such ～ as ～**"の例として、日本人の大学生が書いた

> I live with my family, and I don't have to worry

---

squash＝スカッシュ（発音は「スクワッシュ」に近い）

about living expenses **such as** clothes, food, school expenses, <u>and so on</u>.
（私は家族と一緒に住んでおり、洋服や食べ物、学**費など**の生活費を気にしなくていい）

という文が挙げられる。やはり、これも

I live with my family, and I don't have to worry about **such** living expenses **as** clothes, food, or school fees. ▸▸▸**B**

のように書き換えたほうが、まさに「滑らかに流れるすっきりした英文」になる。
　こうした "**... such ~ as ~**" は、たとえば、

During the summer vacation, my younger sister read **such** important 19th century Russian novels **as** *Fathers and Sons*, *Crime and Punishment*, and *War and Peace*.
（夏休みの間に、妹は『父と子』『罪と罰』『戦争と平和』**など**、19世紀ロシアの偉大な長編小説を何冊か読んだ） ▸▸▸**C**

に見られるような形を使うと、若干「洗練度」が増すので、お勧めである。

覚えたい重要例文

A. such ~ as ~ を使いすっきりと

I like **such** racquet sports **as** soft tennis, badminton, and squash, but I don't like table tennis.
(私は軟式テニスやバドミントン、スカッシュ**など**のラケットスポーツが好きですが、卓球は好きではありません)

B. such ~ as ~ を使い滑らかに

I live with my family, and I don't have to worry about **such** living expenses **as** clothes, food, or school fees.
(私は家族と一緒に住んでおり、洋服や食べ物、学費**など**の生活費を気にしなくていい)

C. such ~ as ~ を使い洗練度を増す

During the summer vacation, my younger sister read **such** important 19th century Russian novels **as** *Fathers and Sons*, *Crime and Punishment*, and *War and Peace*.
(夏休みの間に、妹は『父と子』『罪と罰』『戦争と平和』**など**、19世紀ロシアの偉大な長編小説を何冊か読んだ)

---

expense＝出費、経費　school fees＝学費　vacation＝休暇

▶▶▶「〜など」をどう表すか②

使いこなしたいincluding〜

The students reviewed usage in a number of grammatical categories, **including** "mood," "voice," and "negation."
（学生たちは、「法」「態」「否定」**など**、文法範疇の用法をいくつも復習した）

「たとえば＝for example」はやめたい

　前節で「類似の物事の中から例として抜き出し、他にもあるということを示す『など』の役割は、"〜 , such as 〜"と"... such 〜 as 〜"のいずれもちゃんと果たしてくれる」と指摘したが、同様の役割をもつ、もう1つの便利な表現の用法を確認したい。それは"〜 , including 〜"という言い方である。たとえば、

> The park is a habitat for an amazing variety of birdlife, **including** toucans, parrots, macaws, flamingos, and hummingbirds.
> （その公園は、オオハシ、オウム、コンゴウインコ、

フラミンゴ、ハチドリ**など**、驚くほど多様な野鳥の生息地だ）　▶▶▶A

のような使い方がその典型である。includingという語を見ると、和訳では「～など**も含め**」のように「**も含め**」を付け加えたくなる人もいるかもしれないが、そうする必要は特にない。「など」だけで十分であり、「**も含め**」という日本語に感じられる若干の強調は、こうした"～, including ～"には感じられないのである。

　日本人の大学生が書いた英作文を添削するときに、とりわけ"**for example, ～**"の代わりに、この"～, including ～"の使用を勧めることが多い。たとえば、

I own several brands of sneakers. **For example**, I own Nike, Adidas, Reebok, and Puma sneakers.
（私は、いくつものメーカーのスニーカーを持っています。**たとえば**、ナイキ、アディダス、リーボック、プーマ**など**のスニーカーを持っています）

という文を、まず

I own several brands of sneakers, **including** Nike, Adidas, Reebok, and Puma sneakers.

と書き換えるように指導する。なお、この英文では"sneakers"

---

habitat＝生息地、居住地　amazing＝驚くべき、見事な　toucan＝オオハシ
macaw＝コンゴウインコ　hummingbird＝ハチドリ　brand＝商標、ブランド

という語の繰り返しがちょっと気になるが、それを避けたいなら、

> I own sneakers from several manufacturers, **including** Nike, Adidas, Reebok, and Puma. ▶▶▶B

のように書き直せばいい。同じ英作文の授業でこんなセンテンスに出合ったこともある。

> Our team participated in several events. **For example**, we did sprints, hurdling, high jump, pole vault, shot put, and so on.
> (私たちのチームは、いくつもの種目に参加しました。たとえば、スプリントや、ハードル競走、走り高跳び、棒高跳び、砲丸投げ**など**やりました)

もしこの英文を

> Our team participated in several events, **including** sprints, hurdling, high jump, pole vault, shot put.

のように書き直せば、意味は変わらないが、文章としてはすっきりしてくる。
　つまり、「これらがすべてというわけではないが、こうい

74　Chapter 2　知ってるつもりの基本文法・語法

ものもある［あった］」を簡潔に示したいときに、**including** はとても便利なのである。たとえば「学生たちは、『法』『態』『否定』**など**、文法範疇の用法をいくつも復習した」というようなことを簡潔に述べたい場合には、

> The students reviewed usage in a number of grammatical categories, **including** "mood," "voice," and "negation."

というように、"～ , including ～" が非常に有効なのである。

覚えたい重要例文

A. including〜を使った表現 ❶

The park is a habitat for an amazing variety of birdlife, **including** toucans, parrots, macaws, flamingos, and hummingbirds.
（その公園は、オオハシ、オウム、コンゴウインコ、フラミンゴ、ハチドリ**など**、驚くほど多様な野鳥の生息地だ）

B. including〜を使った表現 ❷

I own sneakers from several manufacturers, **including** Nike, Adidas, Reebok, and Puma.
（私は、ナイキ、アディダス、リーボック、プーマ**など**、いくつものメーカーのスニーカーを持っています）

manufacturer＝製造業者、メーカー　participate＝参加する
hurdling＝ハードル競走　pole vault＝棒高跳び　shot put＝砲丸投げ
grammatical＝文法の　category＝範疇、カテゴリー

▶▶▶neverの意味

「絶対」ではないnever

His dog Brenda **never comes** when he calls her name.
(彼が名前を呼んでも、愛犬のブレンダは**いつだって来ない**)

neverは「絶対に〜ない」ではない

　英文和訳問題に対する一般の日本人の大学生の回答を採点しているときに面白い現象に気づいた。英文に **never** という副詞があると、**文脈を問わず**、それを「**絶対に〜ない**」と訳す人が実に多いのだ。確かに

　I **never said** such a thing to him.
　(私は彼にそんなことを**一度も言っていません**)　　　▶▶▶A

のように、**never** は、「絶対に」と同じように、**強調**のために用いられることがあるので、この英文を「私は彼にそんなことを**絶対に言っていません**」と訳しても特に差し支えはない。が、そうはいかない「**never**の文」も少なくない。具体的には、

76　Chapter 2　知ってるつもりの基本文法・語法

I **never know** what she is thinking about when she has that sad expression.
(彼女があの悲しそうな表情をするときに何を考えているのか、私には**いつも分からない**)　▶▶▶B

のような文が挙げられる。ここでの never は、**強調**のためではなく、"**not ever**"（**いつであっても～ない**）という never の**本来の意味**を表すために用いられている。言い換えれば"**at no time**"や"**not at any time**"ということになるので、「**絶対に～ない**」と訳したら、意味が少しズレてしまうのである。

　また、逆の現象も見られる。つまり、もし日本語で「**絶対に～ない**」という表現を使う場合であれば、反射的に never にしてしまう、という傾向だ。たとえば、「あれは**絶対に**カンタンの鳴き声**ではない**と思った」のつもりで、

I thought that is **never** the call of a tree cricket.
(あれがカンタンの鳴き声**になるときはない**と思った)

と書いてしまうのが典型的なケースである。言うまでもなく、この場合、never を使わず、

I thought that is **definitely** [**absolutely**] [**certainly**] **not** the call of a tree cricket.　▶▶▶C

のように書けばいいのだ。

---

expression＝表情　tree cricket＝(昆虫の)カンタン　definitely＝絶対に、確実に
absolutely＝絶対に、まったく　certainly＝確かに、間違いなく

あるいは、「私は24日の会議には絶対に出席しない」というつもりで、

I will **never attend** the meeting on the 24th.
(私は24日の会議には**いつまで経っても出席しない**)

と書いてしまうケースもある。これも、前の例と同じように、

I will **definitely** [**absolutely**] [**certainly**] **not** attend the meeting on the 24th.

のように書けばいい。
"ever(= **at any time**)"と同じく、基本的に「**時を示す表現**」である **never** の**本当の意味**を把握するために、「**微妙なケース**」を考えてみよう。たとえば、

① His dog Brenda **never comes** when he calls her name.
(彼が名前を呼んでも、愛犬のブレンダは**いつだって来ない**)　　　　　　　　　　　　　　▶▶▶D

という文を「彼が名前を呼んでも、愛犬のブレンダは**絶対に来ない**」と訳しても特に問題はないだろうが、逆にこの日本語を英訳すれば、

② His dog Brenda **absolutely refuses to come** when he calls her name.

という感じの文になる。①には「彼が**何回も繰り返して**名前を呼んでいるのに、ブレンダは**毎回**来てくれない」といったニュアンスが強いのに対して、②にはそうしたニュアンスがないのである。

なお、ちなみに、**never** の訳語として「**決して～ない**」とする場合も見かけるが、これは「**絶対に～ない**」と同じようにただ単に**強調**のための **never** の場合にしか適さない訳し方である。

覚えたい重要例文

A.「絶対に」でもいい場合

I **never said** such a thing to him.
(私は彼にそんなことを**一度も[絶対に]言っていません**)

B. neverの本来の意味を表す

I **never know** what she is thinking about when she has that sad expression.
(彼女があの悲しそうな表情をするときに何を考えているのか、私には**いつも分からない**)

C. "never"を用いない「絶対に～ではない」

I thought that is **definitely** [**absolutely**] [**certainly**] **not** the call of a tree cricket.

(あれは**絶対に**カンタンの鳴き声**ではない**と思った)

D. "never"の本来の意味を表す

His dog Brenda **never comes** when he calls her name.

(彼が名前を呼んでも、愛犬のブレンダは**いつだって来ない**)

▶▶▶ also, too, as well, besides の使い方

「〜も」「また〜」を
効果的に表すには?

Recently, I don't exercise, and I don't have much energy. I catch colds easily, **too** [**as well**].
(最近、私は運動していなくて、元気があまりない。**また**、風邪をひきやすい)

大学生が好きなmoreoverとfurthermore

　英文を書くときに、日本人の大学生はなぜか **moreover** と **furthermore** という「語感のかなり**堅い**」副詞を実によく使う。が、そうした英文を長年にわたって添削してきた私が、これまでそれを訂正せず、そのまま moreover と furthermore を残したことは一度もない。その理由を、実例を見て確認してみよう。

① Hawaii is a popular tourist place. **Moreover**, many volcanologists visit Hawaii because it has a big volcano.
(ハワイは人気のある観光地だ。**しかも**、大きな火山があるから、多くの火山学者がハワイを訪れる)

volcanologist＝火山学者　volcano＝火山

② Recently, I don't exercise. So I don't have much energy. **Furthermore**, I catch colds easily.
(最近、私は運動していない。だから、元気があまりない。**しかも**、風邪をひきやすい)

私がここで「**しかも**」と訳した **moreover** と **furthermore** は、**意味**としては「**なおその上**」や「**おまけに**」と考えてもいいのだが、いずれも**形式張った**文章にしか合わない。また、「強調度」がかなり高く、まるで「**しかも、しかもですよ**……」と力説しているような感じになるので、やはり、前出の2文では、そのまま残すわけにはいかない。私なら、まず **also** を使って

① Hawaii is a popular tourist place. **Also**, many volcanologists visit Hawaii because it has a big volcano.
(ハワイは人気のある観光地だ。**また**、大きな火山があるから、多くの火山学者もハワイを訪れる)　▶▶▶**A**
② Recently, I don't exercise, and I don't have much energy. **Also**, I catch colds easily.
(最近、私は運動していなくて、元気があまりない。**また**、風邪をひきやすい)

のように訂正する。また、同じ意味を表すには、**too** と **as well** も使える。つまり、

① Hawaii is a popular tourist place. Many volcanologists visit Hawaii, **too** [**as well**], because it has a big volcano.

② Recently, I don't exercise, and I don't have much energy. I catch colds easily, **too** [**as well**]. ▶▶▶B

と書いてもいいのだ。

 also と **too** と **as well** のどれも、形式張った文章に用いてもいい言葉であり、意味も変わらない。強いて言えば、語感として「上品度」が微妙に異なり、上品なほうから並べれば、**as well**→**also**→**too** となる。

 また、たとえば、「ゴルフは楽しいスポーツだ。その上、いい運動にもなる」のつもりで、

Golf is an enjoyable sport. **Besides**, it is good exercise.

のように、「その上」を表すために、文頭に"**Besides**, ..."を置く日本人も多いようである。が、残念ながら、"**Besides**, ..."が文頭に配置されると、ただ単に「その上」ではなく、それ以上の意味になってしまう。具体的な例として、「今日、映画を観に行かないか？」とメールで誘われた人が

I'm sorry. I'm a little tired today. **Besides**, I don't have any money.

energy＝元気、活気、エネルギー（英語での発音は「エナジー」に近い）
catch colds＝風邪をひく　enjoyable＝楽しい

と断る場合が挙げられる。これは「ごめんね。今日はちょっと疲れているの。**それに**（たとえ、疲れているという問題がなくても、どうせ）お金が全然ないから（無理なの）」という意味を表している。文頭に配置される"**Besides, ...**"は、このように理由を並べるときに用いられ、「**A**という理由があるが、**それがなくてもB**という理由**だけでも**決定的なものになる」という趣旨を表現する言い方である。たとえば、出演の依頼を引き受けた理由として、

> I don't have anything else in particular to do. **Besides**, the pay is good.
> （他にすることは特にないし、また〈**そうでなくても**〉ギャラが高いから〈出演するわ〉）

というような使い方が典型である。つまり、**besides** は、「また」というより、「どっちにしても」という意味に近いのだ。ちなみに、この2つの例文の **Besides** は、どちらも **Also** と入れ替えることはできる。もちろん、伝える意味は違ってくるが。

前出の

> Golf is an enjoyable sport. **Besides**, it is good exercise.

に戻ると、やはり **Besides** の使い方がおかしい。「ゴルフは楽しいスポーツだ。その上、いい運動にもなる」という話なら、

① Golf is an enjoyable sport. **Also**, it is good exercise.

② Golf is an enjoyable sport. It is good exercise, **too** [**as well**].

のように書けばいい。

覚えたい重要例文

A. 「また」「しかも」という意味のalso

Hawaii is a popular tourist place. **Also**, many volcanologists visit Hawaii because it has a big volcano.
(ハワイは人気のある観光地だ。**また**、大きな火山があるから、多くの火山学者もハワイを訪れる)

B. 「また」「しかも」という意味のtoo [as well]

Recently, I don't exercise, and I don't have much energy. I catch colds easily, **too** [**as well**].
(最近、私は運動していなくて、元気があまりない。**また**、風邪をひきやすい)

in particular＝特に　pay＝給料、賃金

▶▶▶ quite の使い方①

「まったく」か「けっこう」か？

I think it'll get **quite** cold.
(**けっこう**寒くなると思うよ)

辞書を見ると混乱するquiteの用法

　英語には、very、extremely、really、fairly、quite など、**程度や強調を表す副詞**が多いが、その中でも、日本人の英語学習者にとっていちばん使い方が把握しにくいと思われるのは、**quite** ではないだろうか。まず、たいていの英和辞典によると、**quite** には「**まったく**」や「**完全に**」「**すっかり**」「**完璧に**」という意味もあれば、それとはだいぶ異なる「**かなり**」や「**けっこう**」「**なかなか**」「**まあまあ**」「**ほどほど**」「**多少**」という意味もある。それは情報としては確かではあるが、多くの学習者はその使い分けについて、もやもやした気持ちになるケースが多いだろう。

　具体的な例としては、大学生の書いた英作文で私がたまたま出合った次の2つのセンテンスが挙げられる。まず、

　① That Saturday, the weather was **perfect**.

（その土曜日は、**完璧な**天気だった）

という文だ。これを読んだとき、英語表現としてまったく問題ないと思ったのだが、次の段落では、

　② Since the weather was **quite** good, I decided to go to Enoshima.
　（天気が**けっこう**よかったので、私は江の島に行くことにした）

という文が出てきた。実際その日の天気は①「**申し分のまったくないほど**（perfect＝**完璧な**）」よいものだったのか、それとも②「**まあまあ、意外と**（quite＝**けっこう**）」よかったのかは、筆者本人に訊くしかなかった。

　すると学生の答えは「**完璧**」のほうであった。だったらなぜ②で **quite** を使ったのかと訊くと、「『**まったくよい天気**』ということを表したかったが、もうすでに前のセンテンスで **perfect** という語を使ったので、和英辞典で『**まったく**』を引き、別の語を探してみた。すると、最初に記載されていた語は **quite** だったから、それにしたのだ」という趣旨の説明があった。この説明には、なるほど、と思わずにはいられなかった。

　確かに、**quite** には、「まったく」と「けっこう」の意味があるのだが、使い分けには注意が必要だ。具体的には、次のようになる。

extremely＝極めて　fairly＝けっこう

Atsushi: Is tomorrow free for you?
（明日、空いている？）
Maria: Yes, it's **quite** free.
（ええ、**まったく**空いているわよ）　　　　▶▶▶**A**

　この会話で問題になっているのは、「～であるかどうか」ということであり、答えが「まさに～である」という場合、「『**まったく**』という意味の **quite**」の出番である。次に、

Atsushi: How cold do you think it'll get tomorrow?
（明日、どのくらい寒くなると思う？）
Maria: I think it'll get **quite** cold.
（**けっこう**寒くなると思うわよ）　　　　▶▶▶**B**

という会話だが、ここで問題になっているのは「どれほど～であるか」ということで、答えが「まあまあ～である」という場合、「『**けっこう**』という意味の **quite**」の出番である。つまり、yes か no かという問題の場合、quite は「まったく」という意味で使われるが、程度に関する問題の場合、quite は「まったく」という意味にはならないのだ。
　単語や熟語の用法について迷っている学生に対して、私は通常「辞書の用例をよく見るように」と言うが、手元にある英和辞典に載っている **quite** の数多くの用例の中には、

It was **quite** dark, **so** we couldn't see **at all**.

というものある。"It was **quite** dark, ..."（**けっこう**暗かった）までは問題ないのだが、「**けっこう**暗かった」からといって、それは"we couldn't see **at all**"（**全然**見えなかった）という理由にはならないので、おかしい。それに、その文の対訳は「**真っ暗**だったので全然見えなかった」となってしまっている。これを見たとき、英語学習とはやはり **quite** difficult なのだろうな、とあらためて感じさせられたのである。

覚えたい重要例文

A.「まったく」という意味のquite

Atsushi : Is tomorrow free for you?
（明日、空いている？）
Maria : Yes, it's **quite** free.
（ええ、**まったく**空いているわよ）

B.「けっこう」という意味のquite

Atsushi : How cold do you think it'll get tomorrow?
（明日、どのくらい寒くなると思う？）
Maria : I think it'll get **quite** cold.
（**けっこう**寒くなると思うわよ）

▶▶▶ quite の使い方②

名画のセリフで学ぶquite

Well, maybe he's **not quite**
as romantic **as** you are.
(まあ、あいつはお前**ほど**ロマンチシスト**じゃない**かもしれないさ)

『ローマの休日』『カサブランカ』が教材

　前節で取り上げた「まったく」の意味の quite の使い方を確認するには、映画『ローマの休日』が理想的な教材になる。たとえば、ヒステリーを起こしたアン王女に安定剤を注射する前に、専属のボナコーベン医師はこう説明する。

　　It's a new drug, **quite** harmless.
　　(**まったく**無害の新薬です)

　あるいはその翌朝、目が覚めたらなぜか知らない人のアパートにいることに驚いたアン王女が、新聞記者ジョーに

　　"Did you bring me here by force?"
　　(私を無理にここに連れてきたのですか？)

と訊くと、ジョーは

> No, no, **quite** the contrary.
> (いいえ、いいえ、**まったく**逆〈のことでした〉)

と答える例もある。
　一方、「**けっこう**」の意味の **quite** の使い方を確認するなら、映画『カサブランカ』に参考になるセリフが実に多い。たとえば、対独レジスタンス（抵抗）運動で活躍しているノルウェー人の登場人物バーガーは、レジスタンスを象徴するロレーヌ十字のマークが付いている自分の指輪を人に見せながら

> The ring is **quite** unique.
> (この指輪は**けっこう**ユニークなものですよ)

と言うセリフがその典型である。あるいは、「リックって、どういう男？」と訊かれた主人公イルザは、

> Oh, I really can't say, though I saw him **quite** often in Paris.
> (よく分からない──パリでは**けっこう**会ったりしていたけれど)

と答えるセリフも挙げられる。
　なお、**否定文**で用いられる **quite** も重要であるが、そのよ

---

harmless＝無害の　by force＝力ずくで　contrary＝反対の、逆の

い例も『カサブランカ』にある。

> **I don't quite understand** Miss Lund.
> (ランド嬢のことは、**ちょっと分からないところがある**)　　　　　　　　　　　　　　▶▶▶A

という登場人物のルノー署長のセリフがその典型である。こうした**否定文**で用いられる **quite** は、基本的に「まったく〜しない［でない］というわけではないが、〜する［になる］までには足りないところがある」という意味を表すことが多い。たとえば、主人公のリックがルノー署長に言う

> Well, maybe he's not **quite as** romantic **as** you are.
> (まあ、あいつはお前**ほど**ロマンチシスト**じゃない**かもしれないさ)　　　　　　　　　　　▶▶▶B

という皮肉なセリフの場合、「あいつは、まったくロマンチシストでないわけではないが、お前のようなロマンチシストというには足りないところがあるかもしれない」という含みがある。また、ルノー署長が拘留中に亡くなった容疑者について言う

> We haven't **quite** decided whether he committed suicide or died trying to escape.
> (彼が自殺したことにするのか、脱獄しようとして

死んでしまったことにするのか、我々はまだ**ちょっと**決めかねている）

というさらに皮肉なセリフには、「決定しつつあるが、まだ完全には決定していない」というように、「まだちょっと足りないところがある」ことが示唆されているのだ。

なお、前述の「**まったく**」「**けっこう**」「**否定文**」の「**quite用法**」以外にも、重要な使い方がもう1つある。「**否定文**」の **quite** を使って言えば、こんな感じだ。

The explanation of "**quite**" is not **quite** finished. It continues in the next section.
（**quite** について**まだ**説明し切れていないところがある。続きは次節で行う）

覚えたい重要例文

A. 否定文で用いるquite ❶

I **don't quite understand** Miss Lund.
（ランド嬢のことは、**ちょっと**分からないところがある）

B. 否定文で用いるquite ❷

Well, maybe he's not **quite as** romantic **as** you are.
（まあ、あいつはお前**ほど**ロマンチシスト**じゃない**かもしれないさ）

whether A or B＝AかBか　suicide＝自殺　continue＝続く

▶▶▶ quite の使い方③

quiteは、大した副詞

My friends in the underground tell me that you have **quite a record**.
(地下組織の友人の話によると、あなたは**大した経歴**の持ち主だそうですがね)

昼食代わりにシャンパンが出る大した学校!?

　前節で取り上げた映画『ローマの休日』でアン王女は、泊まっていた大使館から逃げ出すが、その翌日、ジョーに「寄宿学校から逃げ出した」と「嘘の告白」をする場面がある。そして、その後、まだ少々のジェラートしか食べていないままの彼女は、彼と一緒に屋外カフェに行き、シャンパンを頼む。ちょっとびっくりしたジョーは、

> Must be **quite** a life you have in that school ― champagne for lunch!
> (**大した**学校生活でしょうね――昼食代わりにシャンパンとは!)

と彼女に言う。この"Must be ...."は"It must be 〜"（きっと〜でしょうね）から"It"が省略されたものである。ジョーがここで言おうとしているのは「『昼食代わりにシャンパン』という習慣まで身に付くなんて、その寄宿学校での日常生活は**ずいぶん進んでいる**のだろうな」といった趣旨のことだ。

　このように「**すごい**」や「**大した**」「**かなり（の）**」を表す「**quite a ＋名詞**」という形は、実に頻繁に用いられる言い方である。たとえば、同じ『ローマの休日』で、観光をしたり、警察に捕まったり、ダンスパーティーで殴り合いに巻き込まれたり、テベレ川に飛び込んだりしたアン王女の長い一日について、ジョーが、

　　You've had **quite** a day.
　　（**すごい**一日を送ったんだね）　　　　　　　　▶▶▶**A**

と言うと、王女が、

　　A wonderful day!
　　（素晴らしい一日！）

と応える場面がある。この"**quite** a day"も「**quite** a ＋名詞」という形の典型的な用法になる。
　映画『カサブランカ』のセリフにも、同じ言い方が出てくる。具体的な例として、レジスタンスの指導者ラズロがリックに言う

---

champagne＝シャンパン（英語の発音は「シャンペイン」に近い）

My friends in the underground tell me that you have **quite a record** — you ran guns to Ethiopia, you fought against the fascists in Spain.
(地下組織の友人の話によると、あなたは**大した経歴**の持ち主だそうですがね──〈第二次エチオピア戦争の最中、ファシスト政権下イタリアの侵略軍と戦ったエチオピア軍を助けようとして〉エチオピアに武器を密輸していたし、スペイン〈内戦〉では〈共和国軍と一緒に〉ファシスト軍と戦ったし)

というセリフが挙げられる。

あるいは、リックがルノー署長に「もし強制収容所行きとなるような犯罪でラズロを逮捕できたら、**相当**立派な業績になるんじゃないか」といった趣旨のことを言うが、その部分は、

... it'd [= it would] be **quite** a feather in your cap, wouldn't it?
(それは**かなり**立派な業績になるんじゃないか?)　　▶▶▶B

という表現になっている。"**a feather in one's cap**"は、昔、イギリスで戦功を挙げた騎士が兜(かぶと)に羽毛を付ける習慣から、現在「誇りや栄誉となるもの」や「立派な業績」「功績」「自慢の種」などを表す表現として慣用的によく用いられる言い回しである。

前節・前々節で取り上げたそれぞれの使い方と合わせると、

96　　Chapter 2　知ってるつもりの基本文法・語法

"'Quite' is quite an adverb"("quite"は、**大した副詞**だ)と言うしかない。

覚えたい重要例文

A. 「すごい」「大した」感じを表す

You've had **quite** a day.
(**すごい**一日を送ったんだね)

B. 「かなり」「相当」を表す

It would be **quite** a feather in your cap, wouldn't it?
(それは**かなり**立派な業績になるんじゃないか?)

▶▶▶「to＋動詞の原型」と「動名詞」

"to〜"と"〜ing"の違いは？

This software is more adept than humans at **perceiving** nuances in facial expressions.
（このソフトウェアは、人間よりも微表情を**感知するのが**得意だ）

「事情」を表すか「臨場感」を出すか

次の日本語をどう英訳すればいいか考えてみよう。

　「佐江子は仕事中に邪魔されるのが大嫌いです」

昔、私が日本語を勉強し始めて比較的に早いうちに、上記の「邪魔される**のが**」のように、**動詞**の後に「**の**」を付けると、その**動詞は名詞**になる、と教わった覚えがある。同じ用法として

　「このソフトウェアは、人間よりも微表情を**感知するのが**得意だ」

　「僕は振替予定日までに口座に**入金するのを**忘れてしまった」

98　Chapter 2　知ってるつもりの基本文法・語法

というような例が挙げられる。

　英語では、**動詞**を**名詞**にしたい場合、「**to＋動詞の原型**」を使うか、それとも「**動名詞**」を使うか、というのが同様の問題になる。具体的に言えば「佐江子は仕事中に**邪魔されるのが**大嫌いです」という話なら、

Saeko hates **to be interrupted** when she is working.　　　　　　　　　　　　　　　　　▶▶▶A

にするか、それとも

Saeko hates **being interrupted** when she is working.　　　　　　　　　　　　　　　　　▶▶▶A

にするか、というケースだ。この場合、いずれの言い回しも適切な英訳になり、基本的に意味は変わらないが、フィーリングが微妙に違う。「**to＋動詞の原型**」を使った①の"**to be interrupted**"では「仕事中に邪魔されることは非常に嫌なことだと思っている」という彼女の気持ちが1つの**事情**として述べられているだけである。これに対して、「**動名詞**」を使った②の"**being interrupted**"では、進行形で用いられる"~ing"があるだけに、邪魔されている最中の光景が浮かんでくるという**臨場感**が幾分かある。「**to＋動詞の原型**」を使った文には、そうした**臨場感**がまったく出てこないのである。

　前出の「このソフトウェアは、人間よりも微表情を**感知する**

interrupt＝中断する、邪魔する

のが得意だ」を英訳する場合も、「**to ＋動詞の原型**」と「**動名詞**」のいずれも使える。つまり、

> This software is better able than humans **to perceive** nuances in facial expressions.

と訳してもいいし、

> This software is more adept than humans at **perceiving** nuances in facial expressions.

と訳してもいいのである。また、この2つの間には、前述の微妙なフィーリングの違いしかない。

　なお、前出の「僕は振替予定日までに口座に**入金するのを**忘れてしまった」のように、「～するのを」の場合は、主節の動詞によって、意味が大幅に変わってくるケースが多い。具体的には、"**forget**"がその動詞になるこの文を

> I forgot **to make a deposit** in my account by the scheduled date for the money transfer. ▶▶▶B

と訳せば、和文と同じ意味を表すが、

> I forgot **making a deposit** in my account by the scheduled date for the money transfer. ▶▶▶B

100　Chapter 2　知ってるつもりの基本文法・語法

と訳すと、「僕は振替予定日までに口座に**入金した**（という）**ことを**忘れてしまった」のように別の意味になってしまう。つまり、これは "I forgot **having made** [**that I had made**] **a deposit**...." と同じ意味になるのである。

もう１つの例として、英語で書くと **stop** という語が主節の動詞になる「厚志はこのままいくとどうなるか**考えるのをやめた**」の英訳を考えてみよう。もしこの文を

> Atsushi **stopped thinking** about what would happen if things kept going on as they were. ▶▶▶C

と書けば、完璧な英訳になるのだが、

> Atsushi **stopped to think** about what would happen if things kept going on as they were. ▶▶▶C

と書くと、「厚志は今**やっていることを**やめて、このままいくとどうなるか**考えることにした**」という意味になってしまう。こうした違いは感覚の問題ではなく、たまたま **stop** という語が主節の動詞であることによる違いなのである。

覚えたい重要例文

A. 微妙な感覚の問題

Saeko hates **to be interrupted** [**being interrupted**]

---

able＝能力がある　perceive＝知覚する、感知する　nuance＝ニュアンス、微妙な差異
facial＝顔の　deposit＝預金　money transfer＝振替

when she is working.
(佐江子は仕事中に**邪魔される**のが大嫌いです)

B. 意味が違ってくる場合❶

I forgot **to make a deposit** in my account by the scheduled date for the money transfer.
(僕は振替予定日までに口座に**入金するのを**忘れてしまった)
I forgot **making a deposit** in my account by the scheduled date for the money transfer.
(僕は振替予定日までに口座に**入金したことを**忘れてしまった)

C. 意味が違ってくる場合❷

Atsushi **stopped thinking** about what would happen if things kept going on as they were.
(厚志はこのままいくとどうなるか**考えるのをやめた**)
Atsushi **stopped to think** about what would happen if things kept going on as they were.
(厚志は今やっていることをやめて、このままいくとどうなるか**考えることにした**)

▶▶▶ some, any 〜の用法

微妙な意識から生まれる違い

"Can you lend me **some** money?"
お金を**いくらか**貸してもらえますか？

「いくらか」か「いくらでも」か

次の3つの英文をどう和訳すればいいか考えてみよう。

① Please find out if she has close friends.
② Please find out if she has **any** close friends.　　▶▶▶A
③ Please find out if she has **some** close friends.　　▶▶▶B

どれも基本的に「彼女に親しい友人がいるかどうか調べてください」ということを言っているが、**friends** という名詞が複数形になっているだけに「**何人かの親しい友人**」のように「**何人かの**」を付け加えたい人もいるかもしれない。とりわけ、**some** という語がある

③ Please find out if she has **some** close friends.

の場合に、そういう気持ちになるように思われる。
　英語表現として、この3つの書き方には微妙な「意識の違い」が感じられる。まず、

　　① Please find out if she has close friends.

の場合、「親しい友人が**いるかもしれない**（いるとすれば、1人だけではなく、複数いるだろう）」といった印象を与える。これに対して、

　　② Please find out if she has **any** close friends.

の **any** の場合、「親しい友人が**1人もいないかもしれない**が、とりあえず調べてください」といった感じだ。最後に、

　　③ Please find out if she has **some** close friends.

の **some** の場合、「親しい友人が**複数いるだろう**。それを確認してください」といった感じになるのだ。
　以前、映画『ローマの休日』を教材にした英語の授業で、主人公のアン王女が言う

　　"Can you lend me **some** money?"
　　（お金を**いくらか**貸してもらえますか？）　　　　▶▶▶C

というセリフを取り上げたが、ある男子学生がこんな疑問を投げかけてきた。「"**some**"は肯定文に使われ、否定文と疑問文では"**any**"を使う、と教わったのですが、このセリフは文法的に間違っていませんか？　本当は"Can you lend me **any** money?"というのが正しい英語ではないでしょうか？」と言うのである。

　実は、いずれも正しい英語で、"Can you lend me **any** money?"と"Can you lend me **some** money?"は基本的に意味が変わらない。ただ、"Can you lend me **any** money?"（▶▶**D**）には「**いくらでも**いいからお願いします」といったニュアンスがあり、"Can you lend me **some** money?"には、そのようなニュアンスが少しもない、という違いはある。

　また、否定文では、たとえば、

I don't like New Age music.
（私はニューエイジ・ミュージックが好きではない）

に対して、"I don't like **any** New Age music."（▶▶**E**）と言ったら、「私は**どんな**ニューエイジ・ミュージック**も**好きでは**ない**」という強調的な述べ方になる。そして、"I don't like **some** New Age music."（▶▶**F**）と言ったら、「私は、好きなニューエイジ・ミュージック**もあれば**、好きではないもの**もある**」という意味になるのである。

　なお、日本人の大学生が「機械的に」書きがちな英文として、たとえば、「実家の庭には、**何種類か**［**いくつかの種類**］の花

があります」のように、「**いくつかの**」という「複数」を示す表現を使う場合に、

> We have **some** varieties of flowers in our garden at home.

のように、わざわざ **some** を付けることが多い。別に間違いではないが、英語では複数を示すのには、名詞の複数形だけでも十分なので、**some** なしで、

> We have **varieties** of flowers in our garden at home.

のように書いてもいい。また、そのように書いたほうがいい場合も少なくない。というのも、このケースで **some** を付けると、「**いくつかは**あるのだが、あまり多くはない」といったニュアンスが出てしまうからである。

覚えたい重要例文

A. anyを使う場合

Please find out if she has **any** close friends.
(〈**1人もいないかもしれないが**〉彼女に親しい友人がいるかどうか調べてください)

B. someを使う場合

Please find out if she has **some** close friends.
(〈**複数いるのでしょうが**〉彼女に親しい友人がいるかどうか調べてください)

C. someを使う場合

Can you lend me **some** money?
(お金を**いくらか**貸してもらえますか？)

D. anyを使う場合

Can you lend me **any** money?
(〈**いくらでもいいから**〉お金を貸してもらえますか？)

E. anyを使う場合

I do**n't** like **any** New Age music.
(私は**どんな**ニューエイジ・ミュージック**も**好きでは**ない**)

F. someを使う場合

I do**n't** like **some** New Age music.
(私は、好きなニューエイジ・ミュージック**もあれば**、好きではないもの**もある**)

▶▶▶ willの意味①

will =「でしょう」は間違い

If you break up with her, you **will** regret it.
（あなたは、彼女と別れたら、後悔**しますよ**）

入試問題の解答に見られる不思議な現象

　毎年2月中旬、私は勤めている大学で「入試問題採点」という仕事をしなければならない。その際、**英文和訳**問題が採点の対象になることがあるのだが、そこである不思議な現象に何回も出くわしている。具体的に言えば、もし英文に **will** という助詞があったら、その解答の和訳には必ず**推量**を表す「**だろう**」か「**でしょう**」のいずれかが出てくるのだ。もちろん、

　　The film **will probably** open in early December.
　　（その映画は、**おそらく**12月の上旬に公開される**だろう**）

のように、「あくまでも**推測**」であることを示す **probably** のような副詞が動詞を修飾している英語であれば、当然のことながら「**だろう**」や「**でしょう**」があっても問題ない。しかし、

逆にもし、

> Tomorrow's total solar eclipse **will** be the last visible in Japan until 2018.

のように、**推測**を示す言葉がない場合であれば、「明日の皆既日食は、2018年までに日本で見られる最後の皆既日食になる**でしょう**」のように、「**だろう**」「**でしょう**」を付けたりすると、言っていることがまったくおかしくなってしまう。上記の例では科学的事実を述べているのに、「2018年までで最後の皆既日食になる**でしょう**」という言い方では、「2018年までで**最後ではない可能性もある**」という意味になってしまうのである。

それでも、もし入試問題で

> Will you go with me?
> （一緒に行ってくれないか？）

という質問に対する

> Yes, I **will** be happy to go!
> （はい、喜んで行きます！）

という答えが英文和訳の問題であれば、多くの受験生はそれを「はい、私は喜んで行く**でしょう**」のように、「**だろう**」か「**でしょう**」を使って訳す。なぜだろう。「**だろう**」か「**でしょう**」を

---

total solar eclipse＝皆既日食　visible＝目に見える

付けなければ減点になると思っているのだろうか。

　英和辞典を見れば、残念ながらそこに問題があるとしか思えない。たとえば、"**will**"が「…でしょう , だろう」と「定義」されている項目の用例として、まず、

> You **will** feel better after this medicine.
> ＝この薬を飲めば気分がよくなりますよ。　　　　　▶▶▶**A**
> Next month, my mother **will** be fifty.
> ＝来月、私の母は50歳になる。　　　　　　　　　▶▶▶**B**
> You never know what he**'ll** do next.
> ＝彼がこの次に何をやるか分からない。　　　　　　▶▶▶**C**

などのように、「**だろう**」も「**でしょう**」も**登場しない対訳**が目立つ。また、次のような用例も登場する。

> ① It**'ll** be fine tomorrow, won't it?
> ＝明日はよい天気**だろう**ね。
> ② He **will** go.
> ＝彼は行く**だろう**。
> ③ You **will** be in time if you hurry.
> ＝急げば間に合う**でしょう**。
> ④ If you break up with her, you **will** regret it.
> ＝あなたは、彼女と別れたら、後悔する**でしょう**。

などのように、日本語の感覚では「**だろう**」か「**でしょう**」を

付けても違和感はまったくないのだが、それぞれの英語の本当の意味は、

① 明日はよい天気になるよね。
② 彼は行くよ。
③ 急げば間に合いますよ。
④ あなたは、彼女と別れたら、後悔しますよ。

となる。なお、「**will の意味**」に対するこうした誤解によって、学習者が英文を書くときにも損することになりかねない。具体的な話は次の節にて。

覚えたい重要例文

A. 「だろう」「でしょう」ではないwill ❶

You **will** feel better after this medicine.
（この薬を飲めば気分がよくなりますよ）

B. 「だろう」「でしょう」ではないwill ❷

Next month, my mother **will** be fifty.
（来月、私の母は50歳になる）

C. 「だろう」「でしょう」ではないwill ❸

You never know what he**'ll** do next.
（彼がこの次に何をやるか分からない）

medicine＝薬　regret＝後悔する

▶▶▶ willの意味②

willが起こす勘違い

It **looks like** it **will** rain tomorrow.
「明日、雨が降る**ようです**」

大学2年ですでに就職が決定!?

　私は、大学の4年生、特に自分のゼミに属している4年生の就職活動を毎年見ているので、その大変さを十分に分かっているつもりである。だから、ゼミとは別に受け持っている**2年生**対象の「英作文」の授業で、次のセンテンスに出くわしたときには、とてもびっくりした。

　After I graduate, I **will** work for a major advertising agency.
　（卒業後、私は大手の広告代理店に勤め**ます**）

これを読んで、「よくもそこまではっきりと予言できるものだ」と不思議に感じたので、その後、筆者本人に訊いてみたところ、「もちろん、大手の広告代理店に就職することはそう容易ではないでしょうが、僕は自信がありますから、『勤めるでしょう』

と書きました」と言われてしまった。

　それで、彼が「**will** ～＝～**でしょう（だろう）**」と思い込んでいることが分かったので、**will** にはそうした「**推量**」の意味がないことを説明し、上記の英文を

> After I graduate, I **expect to** work for a major advertising agency.
> （卒業後、私は大手の広告代理店に勤める**つもりです**）　▶▶▶**A**

と書き直すよう勧めた。なお、まだ内定をもらっていない場合は、

> I **hope to**［**want to**］get a job with.... after I graduate.
> （卒業後、私は……に就職**したいです**）

のように、自分の希望を **hope to** や **want to** を使って述べるのであるが、**自信**を**強調**したいのなら、前出の"**expect to ～**"（直訳で「～することを予期している」）以外に、

> I **am confident of being able to** get a job with....
> （私は……に就職**できる自信があります**）
> I **think I will certainly be able to** get a job with....
> （私は……に**絶対に**就職**できると思っています**）

などのようにすることもできる。

---

graduate＝卒業する　major＝大手の（発音は「メイジャー」に近い）
advertising agency＝広告代理店　confident＝自信がある

ところで、その学生に、「**will ～ = ～でしょう（だろう）**」というのが誤解だと指摘すると、驚いたことに、いきなり「天気予報」の話を持ち出された。具体的に言えば、「日本語の天気予報では〈明日、雨が降る**でしょう**〉と言うのに対して、英語の天気予報では、"It **will** rain tomorrow."と言うから、〈**will ～ = ～でしょう（だろう）**〉のときもあるのでは」というのが彼の言い分なのである。

　その学生には残念だが、英語の天気予報では、このような言い方はしない。「明日、雨が降る**でしょう**」という話なら、

"It **will probably** rain tomorrow."
（明日、**おそらく**雨が降る**でしょう**）　　　　　　　▶▶▶B
"It **looks like** it **will** rain tomorrow."
（明日、雨が降る**ようです**）
"We **can expect** rain tomorrow."
（明日、雨が降る**と想定できます**）
"The outlook is for rain tomorrow."
（明日、雨**の見込みです**）

などのように述べるのである。英文を書くときも、この点を覚えておいたほうがいい。つまり、たとえば「羽生選手は、今度も優勝する**だろう**」のような「**推測**」の場合であれば、

Hanyū **will** win next time, too.
（羽生選手は今度も優勝**する**）

と will だけで述べようとしないで、

> **I think** Hanyū **will** win next time, too.
> （羽生選手は今度も優勝**する、と私は思う**）
> Hanyū **will most likely** win next time, too.
> （羽生選手は今度も**おそらく優勝するだろう**）　▶▶▶C

などのように、あくまでも「**推測**」であることを示す言葉を付け加えて言えばいいのである。

覚えたい重要例文

A. willではない「つもり」

After I graduate, I **expect to** work for a major advertising agency.
（卒業後、私は大手の広告代理店に勤める**つもりです**）

B. 天気予報で使われるwill

It **will probably** rain tomorrow.
（明日、**おそらく**雨が降る**でしょう**）

C. willで「だろう」を表す用法

Hanyū **will most likely** win next time, too.
（羽生選手は今度も**おそらく優勝するだろう**）

outlook＝見込み、見通し　likely＝〜しそうな

▶▶▶ 様々な比較の形

"compared to [with] 〜" の出番はいつか？

Jeb Bush isn't particularly intelligent, but **compared to [with]** his brother George, he's practically a genius.
（ジェブ・ブッシュは頭が特にいいわけではないが、兄のジョージ**と比べたら**、まるで天才のようだ）

「私は、体より顔のほうが大きい」？

　日本語では、たとえば「ウズベキスタンの所得税率は、**モナコと比べて**低いです」のように、「〜**と比べて**…」という言い回しの使用頻度が極めて高いように思われる。また、こうした和文を英訳すると、

　　Compared to [with] Monaco, Uzbekistan's income tax rate is low.

のように、まず、文頭に "**compared to [with] 〜**" という表現を条件反射的に置く人が多いようだ。そう訳しても文法的に

116　Chapter 2　知ってるつもりの基本文法・語法

間違っているわけではないが、私はごく限られたケースでしか「**compared to**〔**with**〕~」を使わない。というのも、英語には**比較級**という語形があり、ほとんどの場合、**比較級**を使うと最も自然かつ正確な訳を作れるからである。具体的に言うと、たとえば、「ウズベキスタンの所得税率は、モナコと比べて低いです」なら、

> Uzbekistan's income tax rate is **lower** than Monaco's.
> (ウズベキスタンの所得税率は、モナコの所得税率**より低い**です)　　　　　　　　　　　　　　▶▶▶A

のようにすればいい。逆に、

> **Compared to**〔**with**〕Monaco, Uzbekistan's income tax rate is low.

という訳し方では、「ウズベキスタンの所得税率は、決して世界的に低いほうではないが、モナコ**と比べたら**、幾分か低いほうだ」といったニュアンスが出てしまう。実際には、ウズベキスタンの所得税率は世界的に低いものであり、世界的に極めて高いモナコと**比べても比べなくても**低い水準なので、ここでは"**compared to**〔**with**〕~"の出番ではないのである。

では、実際に"**compared to**〔**with**〕~"の出番になるケースを考えてみよう。たとえば、「ジェブ・ブッシュは頭が特に

---

income tax＝所得税　rate＝率　　　　　　　　　　　117

いいわけではないが、兄のジョージ**と比べたら**、まるで天才のようだ」という話なら、

> Jeb Bush isn't particularly intelligent, **but compared to [with]** his brother George, he's practically a genius. ▶▶▶B

のようにすれば、ちょうどいい表現になる。

私が大学で受け持っている「英作文」の授業では"**compared to [with]**〜"を頻繁に使う学生が多い。たとえば、「私は、体に比べて顔が大きい」という意味のつもりで書いた

> **Compared with** my body, my face is large.

がその典型だ。これは

> My face is rather large **for** my body.
> （体の大きさの**割に**、私の顔はけっこう大きい） ▶▶▶C

と書き直せばいい。というのも、もしそのまま

> **Compared with** my body, my face is large.

という英語だと「私は、体より顔のほうが大きい」という意味になってしまうからである。

118　Chapter 2　知ってるつもりの基本文法・語法

あるいは、たとえば、「エプソンの正規品**と比べて**、中国製のインクカートリッジの色は、ちょっとヘンです」という意味のつもりで

> **Compared to** Epson's manufacturer-controlled goods, the colors of Chinese-made ink cartridges are a little strange.

のように書かれた例も挙げられる。この場合、そもそもエプソンの正規品のインクカートリッジの色はちっともヘンではないので、比べることに意味がない。単純に「中国製のインクカートリッジの色は、ちょっとヘンです」ということであれば、それはエプソンの正規品**と比べても比べなくても**変わらない話なので"**compared to**［**with**］~"の出番ではない。このことを踏まえれば、

> **Unlike** Epson's manufacturer-controlled goods, the colors of Chinese-made ink cartridges are a little strange.
> （エプソンの正規品**とは違って**、中国製のインクカートリッジの色はちょっとヘンです）　　　▶▶▶**D**

のように書けばいいのである。

---

intelligent＝頭がいい、聡明な　rather＝どちらかといえば
manufacturer-controlled goods＝製造者によって管理されている商品→正規品　　119

覚えたい重要例文

A. 比較級を使う

Uzbekistan's income tax rate is **lower** than Monaco's.
(ウズベキスタンの所得税率は、モナコの所得税率**より低い**です)

B. compared to [with] を使う

Jeb Bush isn't particularly intelligent, but **compared to [with]** his brother George, he's practically a genius.
(ジェブ・ブッシュは頭が特にいいわけではないが、兄のジョージ**と比べたら**、まるで天才のようだ)

C. for を使う

My face is rather large **for** my body.
(体の大きさの**割に**、私の顔はけっこう大きい)

D. unlike を使う

Unlike Epson's manufacturer-controlled goods, the colors of Chinese-made ink cartridges are a little strange.
(エプソンの正規品**とは違って**、中国製のインクカートリッジの色はちょっとヘンです)

Chapter

3

一歩進んだ
英語表現を目指して

日本人が書いた英文の中に、「分詞構文」や
「強調のための倒置」が出てくることはめったにありません。
しかし、このような修辞的技法を使えば、
英文の洗練度を上げることが可能になります。
そしてその用法は、曖昧で感覚的なものではなく、
とても明確で論理的なルールに基づいているのです。

▶▶▶ noとnotを使わない否定文

見かけは肯定文の否定文

She **is hardly** the kind of person capable of robbing a bank.
（彼女は、**とても**銀行強盗ができるような人間**ではない**）

noを使わないで「品のある文」を書く方法

英語で否定文を書くとき、たとえば、

She has **no** interest at all in soccer.
（彼女は、サッカーにはまったく興味が**ない**）
I was **not** satisfied with his reply.
（私は、彼の回答に満足**できなかった**）

のように、**no** と **not** を使うことがよくあるが、"**un-**" や "**dis-**" などのように否定の意を表す接頭辞を使って、

She is completely **un**interested in soccer.　　　▶▶▶A

I was **dis**satisfied with his reply. ▸▸▸B

と書いても同じ意味を表すことができる。**no** と **not** ばかりの否定よりも、このように少し表現のバラエティを利用したほうが魅力的な文章になる。

なお、**no** と **not** を使わずに否定を表す、もっと面白い方法もある。たとえば「**まだ〜していない**」という意味を表したい場合、「**has**［**have**］**yet to** ＋動詞の原形」という形を使えばいいケースが多い。「私は、彼女の不倫の証拠になるものを**まだ全然見つけていない**」という話なら、**not** を使って

I have **not yet found** any proof at all of her infidelity.

と書いても差し支えないが、

I have **yet to find** any proof at all of her infidelity. ▸▸▸C

のように書けば、もう少し「品のある文」になるのだ。

また、副詞の **hardly** と **scarcely** も便利な言葉である。たとえば、「彼女は、**とても**銀行強盗ができるような人間**ではない**」という話なら、**hardly** を使って、

She **is hardly** the kind of person capable of robbing a bank. ▸▸▸D

be satisfied with＝〜に満足している　reply＝回答、返事
proof＝証拠　infidelity＝不貞、不義　rob＝強奪する

のように書けばいい。あるいは「**まさか彼が自分の臆病を認めるなんて思っていない**でしょうね」という話なら、副詞の **scarcely** を使って、

You can **scarcely expect** him to admit his cowardice. ▶▶▶**E**

と書けばいい。

　もちろん、**hardly** と **scarcely** は、上記のような「完全否定」ばかりでなく、「程度が極めて限られている」ことを示す「準否定語」でもある。たとえば、

①I **hardly have any** alcoholic beverages in the house.
（私は、家に酒類を**ほとんど置いていない**）
②She **could scarcely speak** of the tragedy.
（彼女は、その悲劇について**ほとんど話せなかった**）

のような例が挙げられる。厳密に言えば、この２文には、

①「私の家に酒類が**置いてあるなんて、とうていありえない**」
②「彼女は、その悲劇について**とてもじゃないが話せなかった**」

という「完全否定」の受け止め方もあるが、通常、文脈でどちらの意味が正確かが分かる。また、「ほとんどない」という意

味をはっきり伝えたい場合であれば、たとえば、①の **hardly** を

> I **have <u>hardly any</u>** alcoholic beverages in the house.

のように **any** の直前に配置すればいい。元々の "hardly have any" の場合は、**hardly** が動詞の **have** を修飾しているのか、それとも、形容詞の **any** を修飾しているのか曖昧だが、もし動詞の **have** を修飾しているのであれば、「完全否定」の可能性がある。それに対して、**any** の直前に配置した "have hardly any" の場合は、**any** を修飾しているに決まっているので、「完全否定」ではなく、「**ほとんどない**」という受け止め方しかないのである。

　一方、② scarcely の場合、scarcely の代わりに、そもそも「完全否定」の役割をもたない **barely** を使って、

> She **could <u>barely</u> speak** of the tragedy.

と書けば、「**ほとんど話せなかった**」という受け止め方しかできない文になるのである。

　なお、もし逆に「完全否定」のつもりで書いていることをはっきりさせたい場合であれば、事実と反することを示す**仮定法**を使って

---

admit＝認める　cowardice＝臆病
alcoholic＝アルコールが入った（発音は「アルコホーリック」に近い）
beverage＝飲み物　tragedy＝悲劇

① I **would** hardly **have** any alcoholic beverages in the house.
(私の家に酒類が**置いてあるなんて、とうていありえない**) ▶▶▶F

② She **could** scarcely **have spoken** of the tragedy.
(彼女は、その悲劇について**とてもじゃないが話せなかった**) ▶▶▶G

と書けばいいのだ。

覚えたい重要例文

A. 否定の意を表す接頭語 "un" を使う

She is completely **un**interested in soccer.
(彼女は、サッカーにはまったく興味が**ない**)

B. 否定の意を表す接頭語 "dis" を使う

I was **dis**satisfied with his reply.
(私は、彼の回答に満足**できなかった**)

C. 「have yet to＋動詞の原形」を使う

I have **yet to find** any proof at all of her infidelity.
(私は、彼女の不倫の証拠になるものを**まだ全然見つけていない**)

D. 副詞 "hardly" を使う

She **is hardly** the kind of person capable of robbing a bank.
(彼女は、**とても**銀行強盗ができるような人間**ではない**)

E. 副詞 "scarcely" を使う

You can **scarcely expect** him to admit his cowardice.
(**まさか**彼が自分の臆病を認めるなんて**思っていない**でしょうね)

F. 仮定法を使った「完全否定」

I **would hardly have any** alcoholic beverages in the house.
(私の家に酒類が**置いてあるなんて、とうていありえない**)

G. 仮定法を使った「完全否定」

She **could scarcely have spoken** of the tragedy.
(彼女は、その悲劇について**とてもじゃないが話せなかった**)

▶▶▶ 副詞と前置詞の組み合わせ

謎の「動詞＋副詞＋副詞＋前置詞」

Gold coins were **brought up from below** the hull of the sunken ship.
（金貨が沈没船の船体**の下から**海面まで**引き上げ**られた）

up from below, out from behindが多出する英語

　史上最高のスパイ小説とまで賞賛されるジョン・ル・カレ著の *The Spy Who Came in from the Cold* の邦題は分かりやすく、また邦題らしい『寒い**国**から**帰ってきた**スパイ』となっているが、原題には「**国**」や「**帰ること**」を意味する言葉はない。*The Spy Who Came in from the Cold* という英語は、いわば「寒い外から暖かい部屋に入ってきたスパイ」という意味なのである。冷戦を舞台とするこの小説では、"the cold"（外の寒さ）は二重スパイが属する「大変危険な世界」を表し、"come in from the cold" は二重スパイの仕事をやめて、どちら側かの「安全な世界に入り込む」ことを表す。

　英語には "**come in from** the cold" というように、「**動詞＋副詞＋前置詞**」の形の表現が実に多い。また、その**副詞**は、

128　Chapter 3　一歩進んだ英語表現を目指して

ここでの **in** のように、**前置詞**としてお馴染みである語が少なくない。別の例を挙げると「その難民は国境を**越えて**クロアチア**に入った**」ということなら、それを

The refugees **crossed over into** Croatia. ▶▶▶A

と表現することがふつうであり、ここで**副詞**として用いられている **over** は、歌の題名 "**Over** the Rainbow"(「虹の彼方に」)のように、**前置詞**として用いられることも極めて多い。

なお、**from** が副詞として用いられる場合、「**動詞＋副詞＋副詞＋前置詞**」という形も決して珍しくなく、映画『雨に唄えば』には、その典型的な例が出てくる。ミスター・シンプソンという男が映画のスクリーンの後ろにいると思い込んでいる登場人物が「そのスクリーン**の後ろから出て**ください」の意味で、

Come out from behind that screen, Mr. Simpson!

と言うセリフがそれだ。ここでは、**out** と **from** のいずれも副詞であるが、**behind** は、"screen" という目的語をもっているので、**前置詞**だ。逆に、たとえば、

I've **fallen behind in** my house payments. ▶▶▶B
(私は住宅ローンの返済**が遅れてしまっている**)

---

refugee＝難民　Croatia＝クロアチア(英語での発音は「クロエイシア」に近い)
payment＝返済、支払い

のような文の場合、**behind** は目的語をもたず、**副詞**として使われており、そして、**in** は payments を目的語としてもっているので、**前置詞**として使われていることが分かる。

　もう1つの「**動詞**＋**副詞**＋**副詞**＋**前置詞**」の例として、

Gold coins were **brought up from below** the hull of the sunken ship.
（金貨が沈没船の船体**の下から**海面まで**引き上げられた**）
▶▶▶C

というような文が挙げられる。あるいは、

At about 03:30, the UFO **moved away from above** my tent and disappeared in an instant.
（3時30分頃に、そのUFOは私のテント**の上から離れ**、一瞬にして消えてしまった）
▶▶▶D

He finally **came back from across** the ocean to live with me.
（彼はやっと、私と一緒に暮らすために、海**の向こうから戻ってきて**くれた）

という言い方も同じ形をなしている。

　日本語の観点からは、こうした形はいささか難しく思えるかもしれないが、ごくふつうの英語表現であり、頻繁に用いられ

るものなので、英文をよく読む学習者はそのうち慣れるはずである。また、英文を書くときに使ってみるのもいい練習になるだろう。

覚えたい重要例文

A.「動詞＋副詞＋前置詞」

The refugees **crossed over into** Croatia.
（その難民は国境を**越えて**クロアチア**に入った**）

B.「動詞＋副詞＋前置詞」

I've **fallen behind in** my house payments.
（私は住宅ローンの返済**が遅れてしまっている**）

C.「動詞＋副詞＋副詞＋前置詞」

Gold coins were **brought up from below** the hull of the sunken ship.
（金貨が沈没船の船体**の下から海面まで引き上げられた**）

D.「動詞＋副詞＋副詞＋前置詞」

At about 03:30, the UFO **moved away from above** my tent and disappeared in an instant.
（3時30分頃に、そのUFOは私のテント**の上から離れ**、一瞬にして消えてしまった）

hull＝船体　sunken＝沈んだ　disappear＝見えなくなる　instant＝瞬間

▶▶▶ because と since

because[since]を どこに置くか？

I get the blues most every night **ever since** I fell for you.
（君に惚れてしまって**からずっと**、僕は毎晩のように落ち込んでいる）

文の前に置くか、後ろに置くか……

　2つの節が「**〜ので、…**」というようにつながれている和文を英訳する場合、**because** か **since** を使うのが最も一般的だろう。たとえば、「彼はテントウムシに対する恐怖心を抱いているというので、私は今夜のサラダに一匹入れてみようと思っています」という日本語なら、

> **Because** [**Since**] he says he has a phobia about ladybugs, I think I'll try putting one in tonight's salad.

のように訳すことがふつうだ。また、こうした **because** と **since** には、使い分けが1つしかない。厳密に言えば、もし「彼

132　Chapter 3　一歩進んだ英語表現を目指して

はテントウムシに対する恐怖心を抱いているという」の部分が読み手にとって「**新情報**」だと考えられる場合であれば **because** を使う。が、もし逆にその部分を**聞き手がすでに分かっている**と想定される場合なら since を使うのだ。ただし現在、このように使い分けを意識しないことがふつうになっている。

なお、日本語ではたいてい「~**ので**節」が文の主節の前に置かれるからといって、英語でも「**because**［since］節」を前置する必要などない。たとえば「今夜は満月**なので**、僕は念のために外出しないようにしている」という話なら、

> For safety's sake, I'm planning on staying indoors tonight **because**［**since**］ the moon will be full.

のように書いてもいい。ただ、こうした「**後回し**」の使い方によって分かりにくい文になってしまう可能性がある。**because 節**の場合、**否定文**のケースがそれにあたる。たとえば、

> He did**n't** ask my little sister on a date **because** he wanted to deepen his friendship with me.

という文なら、その意味は「彼は、これから私との友情を深めたいと思っていた**ので**、妹をデートに誘わなかった」という意味で述べているのか、それとも「彼が妹をデートに誘わなかったのは、これから私との友情を深めたいと思っていた**からとい**

---

phobia＝極度の恐怖　ladybug＝テントウムシ　deepen＝深くする

うわけではない（別の理由で誘わなかったのだ）」ということなのか、文脈なしでは分からないのだ。つまり、「否定の範囲」が、その文のどこにあるか、この形では曖昧なのである。

一方、**since 節**の場合、「**since ～ ＝ ～以降**」という意味もあるため、問題になるケースがある。たとえば、名曲 "Since I Fell for You" の歌詞には

I get the blues most every night **since** I fell for you.

という一節があるが、それは「君に惚れてしまった**ので**、僕は毎晩のように落ち込んでいる」というつもりで歌っているのか、それとも「君に惚れてしまって**からずっと**、僕は毎晩のように落ち込んでいる」というつもりなのかが曖昧なのである。ちなみに、**since 節**の場合は、

Since I fell for you, I get the blues most every night.

のように、文頭配置にしてもその曖昧さは変わらない。

この問題を避けるために、たとえば、「惚れてしまった**ので**」の場合には、**since** をやめて

I get the blues most every night **because** I fell for you.　　　　　　　　　　　▶▶▶A

134　Chapter 3　一歩進んだ英語表現を目指して

のように because を使えばいい。一方、「惚れてしまって**から**」の場合には、期間を示すほうの since 節の強調になる ever を使って、

> I get the blues most every night **ever since** I fell for you. ▶▶▶B

のようにすればいいのである。
　また、文頭配置の場合も同じである。たとえば、

> **Since** I put a ladybug in his salad, he won't see me anymore.

という文の意味は曖昧だが、

> **Because** I put a ladybug in his salad, he won't see me anymore.
> （私がサラダにテントウムシを入れてしまった**ので**、彼はもう会ってくれない） ▶▶▶C

> **Ever since** I put a ladybug in his salad, he won't see me anymore.
> （私がサラダにテントウムシを入れてしまって**から**、彼は**ずっと**会ってくれない） ▶▶▶D

the blues＝憂鬱、沈んだ気分

とすれば意味が明確になるのだ。

覚えたい重要例文

A.「〜ので」を表すbecause

I get the blues most every night **because** I fell for you.
(君に惚れてしまった**ので**、僕は毎晩のように落ち込んでいる)

B.「〜してから」を表すsince

I get the blues most every night **ever since** I fell for you.
(君に惚れてしまって**からずっと**、僕は毎晩のように落ち込んでいる)

C.「〜ので」を表すbecause

Because I put a ladybug in his salad, he won't see me anymore.
(私がサラダにテントウムシを入れてしまった**ので**、彼はもう会ってくれない)

D.「〜してから」を表すsince

Ever since I put a ladybug in his salad, he won't see me anymore.
(私がサラダにテントウムシを入れてしまって**から**、彼は**ずっと**会ってくれない)

▶▶▶「受動態」

受身の効果的な使い方

She **was bitten to death by** her two pet serval cats.
(彼女は、飼っている2匹のサーバル・キャット**に噛み殺された**)

「〜れる」を自動的に受身にしてはいけない

　　Last night, three UFOs **were observed** hovering over Noboribetsu's Jigokudani.
　　(昨夜、登別の地獄谷の上を舞っている3機のUFOが**観測された**)　　　　　　　　　　　　　　　　　▶▶▶A

のように、日本語ほどではないかもしれないが、英語でも「**受身（受動態）**」が頻繁に用いられる。ただ、一般の日本人が書いた英文を見ると、その使い方に関して問題が3つほどあることに気づく。

　1つ目は、極めて単純なものである。たとえば、「昨夜、登別の地獄谷の上に3機のUFOが**現れた**」のつもりで、

　　Last night, three UFOs **were appeared** over No-

---

observe＝観測・観察する　hover＝舞う、浮かぶ　　　　137

boribetsu's Jigokudani.
(昨夜、登別の地獄谷の上に3機のUFOが**現れられた**)

のように書かれた文がその典型である。つまり、日本語の「現れる」と同じように **appear** のような「**純粋自動詞**」には「**受身（受動態）**」という形はそもそもないのに、**他動詞**であるかのように**受身**の形にして使ってしまうのだ。この現象は、日本語の動詞が、「**現れる**」のように、「**〜れる**」という形で、なんとなく**受身っぽい感じ**がする場合に起こりがちである。もちろん、正しくは、

Last night, three UFOs **appeared** over Noboribetsu's Jigokudani.　　　　　　　　　　▶▶▶B

となる。こうしたミスは「辞書チェック」をすれば避けられるはずだ。要するに、「極めて単純」とはいえ、これは基本的に筆者の怠慢の問題でもあるのだ。

　受身の使い方で引っかかる2つ目の問題は、ある出版社の報告書にあった次の文に見られる。

The decrease in sales in 2012 **was considered** to be due to the declining birthrate.
(2012年における売上の減少は、少子化によるものだと**思われた**)

この英文は、文法的には完璧であるが、与える印象は筆者が狙ったものではない。具体的に言えば「**我々は、調査の結果、その売上の減少は少子化によるものだと判断した**」というような趣旨を伝えたいのに、"**was considered**"という**受身の過去形**で表現しているため、まるでそのように「**判断した**」人間は「**我々**」**ではない**ような印象を与えてしまうのである。

> The decrease in sales in 2012 **was considered** to be due to the declining birthrate.

を読むと、むしろ、「（我々が今思っていることはともかく、過去には）2012年における売上の減少は少子化によるものだと**一般的に思われていた**」と受け止めるのだ。もし、ここでの **consider** の意味上の主語が「**我々**」であり、また、今もそう思っているというような話であれば、そして**どうしても受身**で表現したいのなら、

> The decrease in sales in 2012 **is considered <u>by us</u>** to have been due to the declining birthrate.

と書けばいい。しかし、表現の「**英語らしさ**」まで考えれば、受身も過去形もやめて、

> Our research indicates the decrease in sales in 2012 to have been due to the declining birthrate.

decrease＝減少　due to＝〜による、〜のせいで
decline＝低下する　birthrate＝出生率　indicate＝示す

のように書けばいいのだ。

　受身の使い方で引っかかる3つ目の問題は、前置詞の **by** に関わるものである。

> She **was bitten to death by** her two pet serval cats.
> (彼女は、飼っている2匹のサーバル・キャット**に噛み殺された**)

のように、受身の形の動詞の後に **by** があると、その動詞の意味上の主語は **by** の目的語になる。つまり、上記の英文を能動態で書き換えれば、

> Her two pet **serval cats bit** her **to death**.
> (飼っている2匹の**サーバル・キャットが**彼女を**噛み殺した**)

ということになる。ところが、たとえば、「彼女の悲劇的な死は、YouTube で広く観られた」ということを

> Her tragic death was widely viewed **by** YouTube.

のように書く日本人は少なくない。この文を能動態の形に書き換えれば、

YouTube widely **viewed** her tragic death.
(**YouTube が**彼女の悲劇的な死を広く**観ていた**)

ということになってしまう。当然のことながら、この場合には **by** ではなく、**on** を使って、

Her tragic death was widely viewed **on** YouTube.

と書けば、受身の形でもまったく問題ないのである。

覚えたい重要例文

A. 典型的な受身の文

Last night, three UFOs **were observed** hovering over Noboribetsu's Jigokudani.
(昨夜、登別の地獄谷の上を舞っている３機の UFO が**観測された**)

B. 受身を使わない（使えない）例

Last night, three UFOs **appeared** over Noboribetsu's Jigokudani.
(昨夜、登別の地獄谷の上に３機の UFO が**現れた**)

---

serval cat＝サーバル・キャット(アフリカ原産のネコ科の動物)　view＝見る

▶▶▶ however, but, yetなどの用法

「しかし」を表す英語

She did poorly in the interview, **yet** she **still** somehow managed to get the job.
(彼女は、面接ではうまくいかなかった**が**、
それでもなんとか採用されることになった)

ラーメンの味にhoweverを使う感覚

　日本人が書いた英文を読むと、なぜか、**however**という副詞の使用頻度が驚くほど高い。「英語圏人」の書いたものに比べたら、数倍の頻度なのだ。日本人の大学生が書いた

　I thought the ramen was too salty. **However**, it wasn't too salty.
　(私は、そのラーメンが塩辛すぎると思った。**しかしながら**、塩辛すぎなかった)

という妙な文がその典型である。筆者本人に訊いてみたら、「そのラーメンを食べる**前に**、かなり塩辛いだろうと想像していたが、実際はそうでもなかった」といった趣旨を伝えたかったそ

142　Chapter 3　一歩進んだ英語表現を目指して

うだ。だったら、

> I thought the ramen <u>would be</u> too salty, **but** it wasn't.　　　▶▶▶**A**

と **was** を **would be**（＝ **will be** を**過去形**に一致させたもの）にして書き換えればいい。そうすると、最初の節が「食べる**前**」の話であることが分かるのである。また、ここで "... too salty. **However**, it...." という 2 つの文を "... too salty, but it...." と、1 文にまとめたのは、短い文に切って書くと稚拙な感じを与えるからだ。そして、**however** の代わりに **but** を使ったのは、**however** という言葉は、語感が**硬すぎて**この文脈には合わないからだ。**however** は、基本的に学術論文に合うような、フォーマルな語なのである。

　一般の日本人の書いた英文に見られるもう 1 つの特徴として、**however** を使うと、必ずと言ってもいいほど "**However**, ..." のように、**文頭**に配置することが挙げられる。これは、「**しかし、…**」や「**しかしながら、…**」「**ところが、…**」「**とはいえ、…**」のような日本語のスタイルからの影響としか思えない。もちろん、**文頭**に "**However**, ..." を置く書き方は英語にも存在するが、たとえば、

> The painting is definitely from 17th century Holland, has a beautifully balanced composition, and demonstrates a sophisticated treatment

---

salty＝塩辛い　composition＝構図
sophisticated＝洗練された　treatment＝取り扱い

of light. Unfortunately, **however**, it is not by Vermeer.
(この絵画は、確かに17世紀のオランダのものであり、見事にバランスがとれているし、光の使い方も洗練されている。**しかし、残念ながら、**フェルメールの作品ではない) ▶▶▶B

のように、**文頭**配置よりも、**文中**配置のほうがはるかにきれいに感じられる文体になる。

　なお、英語には **yet** や **still**、**although**、**though**、**nevertheless**、**nonetheless** など、**but** と **however** と同じように逆接を示すために用いられる語彙は豊富にある。ただ、こうした語は、**but** と **however** には特にない「**譲歩**」を表している感じが強い。「**それでも**」というような感じである。具体的には、

She did poorly in the interview, **yet** she somehow managed to get the job.
(彼女は、面接ではうまくいかなかった**が、それでも**なんとか採用されることになった) ▶▶▶C

というような用法である。また、この **yet** の代わりに **still** や **nevertheless**、**nonetheless** を使って、

She did poorly in the interview. **Still** [**Nevertheless**] [**Nonetheless**], she somehow managed to get the job.

と書けば、同じことを表現できる。あるいは、**although** や **though** を使いたい場合であれば、

> **Although** [**Though**] she did poorly in the interview, she somehow managed to get the job.

と書けばいい。

　ちなみに、**yet**、**nevertheless**、**nonetheless** を使う場合、「**それでも**」、あるいは「**それにもかかわらず**」のような「**譲歩**」の感じを**強調**したいのなら、

> She did poorly in the interview, **yet** she **still** somehow managed to get the job.

> **Although** [**Though**] she did poorly in the interview, she **still** somehow managed to get the job.

のように、**still** を付け加えて書けばいい。なお、**nevertheless**、**nonetheless**、**though** を副詞として使う文では、いろいろな配置が考えられる。たとえば、

> ① She did poorly in the interview, yet she **nev-**

---

unfortunately＝残念ながら
Vermeer＝フェルメール（英語では「ヴァミーア」と発音されることが多い）
poorly＝まずく、下手に

ertheless [**nonetheless**] somehow managed to get the job.

② She did poorly in the interview, yet somehow managed to get the job **nevertheless** [**nonetheless**].

③ She did poorly in the interview. She still somehow managed to get the job, **though**.

④ She did poorly in the interview. She still, **though**, somehow managed to get the job.

のような書き方が可能である。

また、前出の

She did poorly in the interview, **yet** she **still** somehow managed to get the job.

の yet の代わりに but を使って

Ⓐ She did poorly in the interview, **but** she **still** somehow managed to get the job.

Ⓑ She did poorly in the interview. **But** she **still** somehow managed to get the job.

というようにもできる。Ⓐでは、yet → but に書き換えたことで、「**譲歩**」の感じが幾分か薄まってくる。Ⓑのように、"…,

yet... ." → "... . But... ." とした場合、「**譲歩**」の感じが幾分か薄まってくる上、わざわざ**2つの短い文に分けた**ことによて、**稚拙**な感じも与えてしまう。

覚えたい重要例文

A. 普通の逆接のbut

I thought the ramen would be too salty, **but** it wasn't.
(私は、そのラーメンが塩辛すぎるのではないかと思った**が**そうでもなかった)

B. 硬いhoweverの出番

The painting is definitely from 17th century Holland, has a beautifully balanced composition, and demonstrates a sophisticated treatment of light. Unfortunately, **however**, it is not by Vermeer.
(この絵画は、確かに17世紀のオランダのものであり、見事にバランスがとれているし、光の使い方も洗練されている。**しかし**、残念ながら、フェルメールの作品ではない)

C. 譲歩のyetを使う

She did poorly in the interview, **yet** she somehow managed to get the job.
(彼女は、面接ではうまくいかなかった**が、それでも**なんとか採用されることになった)

▶▶▶ 関係代名詞とコンマ ①

コンマで決まる関係詞節の意味

Americans, **who are ignorant of foreign languages,** should be re-educated.

(アメリカ人は、**全員外国語をまったく知らない。**
アメリカ人は、〈1人残らず〉全員再教育されるべきである)

再教育が必要(!?)なアメリカ人

　英語には、感覚の問題でいささか意味が把握しにくい用法もあれば、論理がはっきりしていて分かりやすいものもある。後者の中には、英語の基本論理そのものを示すコンマの用い方がある。具体的に言えば、関係詞節の前後に**コンマがある**

　① Americans, **who are ignorant of foreign languages,** should be re-educated.　　　　▶▶▶A

という文と、**コンマなしの**

　② Americans **who are ignorant of foreign languages** should be re-educated.　　　　▶▶▶B

148　Chapter 3　一歩進んだ英語表現を目指して

という文に見られる論理だ。残念ながら、この２つの文の違いは、多くの日本人の英語学習者にとって混乱を生じさせるもののようだ。原因は、この英文がいずれも、「外国語をまったく知らないアメリカ人は、再教育されるべきである」というように、同じ日本語に訳されてしまうからなのだが、実際には、この２文が言っていることはまったく違う。

コンマありの①は、「アメリカ人は、**全員**外国語をまったく知らない。アメリカ国民は、（**１人残らず**）**全員**再教育されるべきである」という意味になっている。これに対して、**コンマなし**の②は、「アメリカ人の中には、**外国語をまったく知らない人もいる**。そういうアメリカ人（**だけ**）は、再教育されるべきである」という意味になっている。これは、英文を書くときだけではなく、読むときも覚えておかなければならない論理である。

簡単に言えば、②のように、関係詞節の前後に**コンマがない場合**、その節は**先行詞を限定している**ということになる。ここでは、**先行詞**の"Americans"が"who are ignorant of foreign languages"と**限定**されているので、「アメリカ人は、いろいろの人がいるが、中には外国語をまったく知らない人もいる。**そういうアメリカ人だけ**再教育されるべきである」という意味になる。

これに対して、①のように、関係詞節の前後に**コンマがある場合**は、その節は**先行詞を限定しているわけではなく、付帯的な情報を加えているだけだ**。そういう意味では、関係詞節を省いても文の基本的な意味が変わらない。つまり、①の場合は、

ignorant＝無知の

Americans should be re-educated.
（アメリカ人は再教育されるべきである）

という意味がまず基本にあり、コンマに挟まれた部分は、**ついでに言えば**「アメリカ人は外国語をまったく知らない人間でもある」ということなのだ。

　これで英語がいかに**合理的**にできているかが分かるだろう。もう１つの例として「我々の検査では、金沢市で購入された栄養サプリメントは、どれも安全だと確認された」という日本語をどう英訳すればいいか考えてみよう。

　この日本語表現では、①「我々の検査では（金沢市以外のところで購入された栄養サプリメントはともかくとして）**金沢市で購入されたもの（だけ）は**、どれも安全だと確認された」と言っているのか、それとも、②「我々の検査の対象となった栄養サプリメントは、どれも安全だと確認された。**ちなみに、そのサプリメントはみな金沢市で購入されたものだった**」と言っているのか**曖昧**である。

　ところが、英語では、その点を同じように**曖昧**にすることはできない。具体的には、**コンマなし**（「**限定用法**」）で

In our tests, all the nutritional supplements **which were purchased in Kanazawa City** were confirmed to be safe.　　　　　　　　　　▶▶▶C

のように書けば、それは必然的に①の意味になり、逆に、**コン**

マあり（「**非限定用法**」）の

In our tests, all the nutritional supplements, **which were purchased in Kanazawa City,** were confirmed to be safe. ▸▸▸D

であれば、それは必然的に②の意味になるのだ。**事実を述べたいなら、こうした違いを無視するわけにはいかない。**

なお、どちらの場合も、**which were** を**省いた**

In our tests, all the nutritional supplements **purchased** in Kanazawa City were confirmed to be safe.

In our tests, all the nutritional supplements, **purchased** in Kanazawa City, were confirmed to be safe.

という書き方もある。意味は変わらないが、**省いたほう**が文体が**すっきり**してくる。これについては、次節で考えよう。

覚えたい重要例文

A. コンマあり（先行詞を限定しない）

Americans, **who are ignorant of foreign languages,**

---

nutritional＝栄養の　supplement＝栄養補助食品、サプリメント
purchase＝購入する　confirm＝確認する

should be re-educated.

(アメリカ国民は、**全員外国語をまったく知らない**。アメリカ国民は、〈**1人残らず**〉全員再教育されるべきである)

B. コンマなし（先行詞を限定する）

Americans **who are ignorant of foreign languages** should be re-educated.

(アメリカ人の中には、**外国語をまったく知らない人もいる**。そういうアメリカ人〈**だけ**〉は、再教育されるべきである)

C. コンマなし（先行詞を限定する）

In our tests, all the nutritional supplements **which were purchased in Kanazawa City** were confirmed to be safe.

(我々の検査では〈金沢市以外のところで購入された栄養サプリメントはともかくとして〉**金沢市で購入されたもの**〈**だけ**〉**は**、どれも安全だと確認された)

D. コンマあり（先行詞を限定しない）

In our tests, all the nutritional supplements, **which were purchased in Kanazawa City,** were confirmed to be safe.

(我々の検査の対象となった栄養サプリメントは、どれも安全だと確認された。**ちなみに、そのサプリメントはみな金沢市で購入されたものだった**)

▶▶▶ 関係代名詞とコンマ②

コンマを使いこなす方法

The seminar students, **clever** enough to butter up the professor, all got good grades.
(ゼミの学生たちは、全員成績評価が高かった。
ちなみに、その学生たちは皆教授におべっかを使うくらい**賢かった**)

感覚の問題ではないコンマの用法

前節で説明した形の文であるが、たとえば、

① The club members, **who had been contacted** by email, went home the next day.　　　▶▶▶A

のように関係詞節の前後に**コンマがある場合**と

② The club members **who had been contacted** by email went home the next day.　　　▶▶▶B

のように関係詞節の前後に**コンマがない場合**の文であれば、いずれも「メールで連絡を受けた会員は翌日に帰った」と和訳さ

contact＝連絡をとる　　153

れるかもしれないが、それぞれの意味はまったく違う。

　コンマがある①は「会員は翌日に帰った。**ちなみに**、その会員は**皆**帰る前日にメールで連絡を受けた」ということを言っている。これに対して、**コンマがない**②は「会員にはメールで連絡を受けた人と受けなかった人がいたが、**受けた人だけ翌日に帰った**」ということを言っているのである。また、いずれの文からも **who had been を省いて**、

　① → The club members, **contacted** by email, went home the next day.
　② → The club members **contacted** by email went home the next day.

のように書けば、それぞれの意味は変わらないが、文体はすっきりしてくる。

　この例文はたまたま**過去分詞**（**contacted**）を用いたのだが、**現在分詞**を用いて「スマートフォンを持っていた少年たちは、すぐに家に電話した」と和訳される

　③ The boys,（**who were**）**carrying** smartphones, called home immediately. ▶▶▶C
　④ The boys（**who were**）**carrying** smartphones called home immediately. ▶▶▶D

というような書き方もまったく同じである。つまり、**コンマが**

ある③は「少年たちは、すぐに家に電話した。**ちなみに、**その少年たちは**皆**スマートフォンを**持っていた**」ということを言っている。これに対して、**コンマがない**④は「少年たちにはスマートフォンを**持っている人**と、**持っていない人**がいたが、**持っている人**だけすぐに家に電話した」ということを言っているのである。これもまた、どちらの文からも **who were** を省いてすっきりさせることができる。

なお、前節で取り上げた、「外国語をまったく知らないアメリカ人は、再教育されるべきである」と和訳される

Americans, (**who are**) **ignorant** of foreign languages, should be re-educated.

Americans (**who are**) **ignorant** of foreign languages should be re-educated.

では、**分詞**ではなく、**形容詞**の **ignorant** が用いられているが、**形容詞**の場合でも同じで、関係代名詞と be 動詞を省略できる。

もう1つの**形容詞**を用いた例として「教授におべっかを使うくらい**賢い**ゼミの学生たちは、全員成績評価が高かった」と和訳される

⑤ The seminar students, [**who were**] **clever** enough to butter up the professor, all got good grades.

---

immediately＝即座に　seminar＝ゼミ、セミナー
butter up＝おべっかを使う　grade＝成績評価

(**コンマがある**場合＝「ゼミの学生たちは、全員成績評価が高かった。**ちなみに**、その学生たちは皆教授におべっかを使う**くらい賢かった**」)

⑥ The seminar students [**who were**] clever enough to butter up the professor all got good grades.
(**コンマがない**場合＝「ゼミの学生たちには、教授におべっかを使う**くらい賢い**人と、そこまで**賢くない**人がいたが、教授におべっかを使う**くらい賢い**人**だけ**成績評価が高かった」)

という2文が挙げられる。⑤に見られる**コンマ**の働きは、**付帯の情報**を示す**カッコ**「(…)」の働きと同じようなものと考えれば、分かりやすいだろう。

いずれにしても、このように**大きな役割を果たすコンマの使い方**は、はっきりした**論理**で動いており、決して把握しにくい「感覚の問題」ではない。この**論理**を覚えておけば、英文の読解力が強くなり、英文を書くときにも、「事実」を正確に伝えられるようになるのである。

覚えたい重要例文

A. コンマあり（先行詞を限定しない） ※( )内は省略可

The club members, (who had been) **contacted** by email, went home the next day.
（会員は翌日に帰った。**ちなみに、**その会員は**皆**帰る前日にメールの**連絡を受けた**）

B. コンマなし（先行詞を限定する）

The club members (who had been) **contacted** by email went home the next day.
（会員にはメールの連絡を受けた人と受けなかった人がいたが、**受けた人だけ**翌日に帰った）

C. コンマあり（先行詞を限定しない）

The boys, (who were) carrying smartphones, called home immediately.
（少年たちは、すぐに家に電話した。**ちなみに、**その少年たちは**皆**スマートフォンを**持っていた**）

D. コンマなし（先行詞を限定する）

The boys (who were) **carrying** smartphones called home immediately.
（少年たちにはスマートフォンを**持っている人**と、**持っていない人**がいたが、**持っている人だけ**すぐに家に電話した）

▶▶▶ 分詞構文 ①

洗練と簡潔さを求めて

Uncorking a bottle of Chianti Classico, Masashi decanted the wine and poured out a glass of it.
(キャンティ・クラシコのコルクを**抜くと**、
正史はそのワインをデカンターに移し、グラスに1杯注いだ)

日本人がなかなか使えない分詞構文

「**分詞構文**」は、英文にとって重要な構成要素だが、多くの日本人は、たとえそれを「文法用語」として覚えていても、英文を書くときに使うことはほとんどないようである。それではもったいないので、ここでその用法を確認してみよう。**分詞構文**には、**現在分詞**を使うものと**過去分詞**を使うものの2つの形があるが、まず、**現在分詞**のほうから始めよう。

現在分詞は、なんといっても**原因や理由**を示すために便利である。たとえば「私は、非常に**眠くて**、昼寝することにした」ということなら、

Being extremely **sleepy**, I decided to take a nap.

158　Chapter 3　一歩進んだ英語表現を目指して

と書けばいい。もちろん、同じことを

Because [**Since**] [**As**] I was extremely sleepy, I decided to take a nap.

と書いても特に差し支えないが、**分詞構文**で述べたほうが簡潔な表現になり、より洗練度が増す。なお、たとえば、

Noticing a crack in the ceiling, I telephoned the building manager.
（天井にひびが入っていることに**気づいて**、私はビルの管理人に電話した）　　　　　　　　　　▶▶▶**A**

のように、**原因や理由**を示す分詞構文では、確かにある種の「因果関係」が表されているが、厳密に言えば、この「因果関係」は"Because…,"や"Since…,"などの接続詞で表されるものほど堅くない。日本語で「～ので、…」や「～だから、…」などと表現するまでもなく、上記の例のように「～て、…」や「～で、…」で原因や理由が十分示されるときこそ、こうした分詞構文の出番である。

　時を示すために使うこともよくある。たとえば「新宿御苑を**散歩しているとき**、私は、孫の1人と一緒に歩いている三田佳子を見かけた」ということなら、

Strolling through Shinjuku Gyoen, I saw Mita

nap＝昼寝　crack＝ひび、亀裂　ceiling＝天井　stroll＝そぞろ歩きをする

Yoshiko walking with one of her grandchildren. ▶▶▶B

と書けばいい。同じことを

> **While** [**When**] I was strolling through Shinjuku Gyoen, I saw Mita Yoshiko walking with one of her grandchildren.

と書いても差し支えないが、これも**分詞構文**で述べたほうが簡潔でより洗練された感じの文になるのだ。

　また、**付帯状況**を示す役割もある。たとえば、「彼女は、iPhone の画面を**見つめながら**、図書館の前を歩いていた」ということなら、

> She was walking in front of the library building, **staring** at the display on her iPhone. ▶▶▶C

と書けばいい。このケースで使われる**現在分詞**は、通常、上記のように、文の後のほうに置く。前に置いて

> **Staring** at the display on her iPhone, she was walking in front of the library building,.

と書いても、別に文法的に間違っているわけではないが、不自然な感じがしてしまう。

160　Chapter 3　一歩進んだ英語表現を目指して

続いて、**現在分詞**を**動作や出来事の継起を示す**ために使うこともある。たとえば、「キャンティ・クラシコのコルクを**抜くと**、正史はそのワインをデカンターに移し、グラスに1杯注いだ」ということなら、

> **Uncorking** a bottle of Chianti Classico, Masashi decanted the wine and poured out a glass of it. ▶▶▶D

と書く。このように、行動の順を表す場合は、**現在分詞**を文頭に配置するのがふつうだが、たとえば、

> Masashi uncorked a bottle of Chianti Classico and, **decanting** the wine, he poured out a glass of it.

と書いても特に問題ない。また、当然のことながら、**現在分詞**を使わず、

> Masashi **uncorked** a bottle of Chianti Classico, decanted the wine, and poured out a glass of it.

としても同じ意味になるのだが、**現在分詞**を使ったほうがきれいな文体に感じられるのである。

---

stare＝じっと見つめる　display＝画面　uncork＝コルクの栓を抜く
Chianti Classico＝キャンティ・クラシコ（イタリア・トスカーナ地方産の赤ワイン）
decant＝ワインなどを瓶からデカンターに移す　pour＝注ぐ

覚えたい重要例文

A. 原因・理由を表す

Noticing a crack in the ceiling, I telephoned the building manager.
(天井にひびが入っていることに**気づいて**、私はビルの管理人に電話した)

B. 時を示す

Strolling through Shinjuku Gyoen, I saw Mita Yoshiko walking with one of her grandchildren.
(新宿御苑を**散歩しているとき**、私は、孫の1人と一緒に歩いている三田佳子を見かけた)

C. 付帯状況を示す

She was walking in front of the library building, **staring** at the display on her iPhone.
(彼女は、iPhoneの画面を**見つめながら**、図書館の前を歩いていた)

D. 動作や出来事の継起を示す

Uncorking a bottle of Chianti Classico, Masashi decanted the wine and poured out a glass of it.
(キャンティ・クラシコのコルクを**抜くと**、正史はそのワインをデカンターに移し、グラスに1杯注いだ)

▶▶▶ 分詞構文②

過去分詞を使った分詞構文

Translated in a classical literary style, this Baudelaire poetry collection is my favorite book.
(文語体で**翻訳された**このボードレールの詩集は、私のいちばん好きな本です)

意味によって変わる微妙なニュアンス

　現在分詞とは違って、**過去分詞**の最も基本的な役割は「**受身**」を表すことなので、ふつうは**他動詞**を用いる。たとえば、**現在分詞**を使った

> **Making only** extremely expensive watches, this company targets a limited clientele.
> (この会社は、非常に高価な時計**しか作らず**、限られた客層を対象にしている)

という文に対して、**過去分詞**を使った

> **Made** by Seiko, this watch is extremely expen-

---

expensive＝高価な　target＝対象にする
limited＝限られた　clientele＝顧客、得意先

sive.
（セイコーによって**作られた**この時計は、非常に高価なものである）　　　　　　　　　　　　　　　▶▶▶**A**

では、**他動詞**の make が**受動態**の形で使われる。

　この英文を「この時計は、セイコーによって**作られたので**、非常に高価なものである」のように訳したい人もいるかもしれないが、そうすると、「セイコーによって作られたこと」が「高価なものであること」の**原因や理由**になってしまうので、ここではふさわしくない。というのも、**ほどほどの値段の時計も製作している**セイコーが作ったことが、この時計が**非常に高価な**ものであることの**原因や理由**にはならないからだ。が、たとえば、**非常に高価な車しか造らないランボルギーニ**についての

Made by Lamborghini, this car is extremely expensive.

という文なら、それを「この車は、ランボルギーニによって**作られたので**、非常に高価なものである」と訳しても、もちろんかまわない。

　いずれにしても、**過去分詞が文頭に配置される**こうした「**受動態の分詞構文**」について考えると、たとえば、

Translated in a classical literary style, this

Baudelaire poetry collection is my favorite book.
(文語体で**翻訳された**このボードレールの詩集は、私のいちばん好きな本です)　　　　　　　　　　▶▶▶**B**

のような文は、基本的に

Being〔**Having been**〕 **translated** in a classical literary style, this Baudelaire poetry collection is my favorite book.

という形の文の**略**である。つまり、「**Being**＋**過去分詞**」や「**Having been**＋**過去分詞**」を用いた文から、"**Being**"や"**Having been**"が省略されたものである。

　ただし、この2つの書き方には大きなニュアンスの違いがある。具体的に言えば、省略されない"**Being**〔**Having been**〕 **translated** in a classical literary style, ..."は、「文語体で**翻訳されたこと**」が「私のいちばん好きな本であること」の**原因や理由**になっているニュアンスが強いが、省略された"**Translated** in a classical literary style, ..."という書き方では、そうしたニュアンスが出ていないのだ。ということは、**原因や理由**であることを示したいのなら、省略しないほうがいいわけだ。

　なお、この例文とは違って、センテンスの**内容**から判断すれば、どう見ても明らかに**原因や理由**が表されている、というケースも確かにある。たとえば、

Lamborghini＝ランボルギーニ(イタリアの高級自動車メーカー)
translate＝翻訳する　classical＝古典の　literary＝文語の、文学の
Baudelaire＝ボードレール(19世紀フランスの詩人・批評家。英語では「ボデレイア」のように発音されることが多い)　poetry＝詩　favorite＝一番お気に入りの

Forgotten by his former colleagues and students, the professor led quite a lonely life after his retirement.
（退職後、その教授はかつての同僚や教え子に**忘れられてしまって**、かなり孤独な生活を送っていた）　▶▶▶C

というような内容なら、そうした「**因果関係**」が確実である。あるいは、たとえば、

Scolded by his owner, the little cocker spaniel cowered in a corner of the room and whimpered.
（その小さなコッカースパニエルは、飼い主に**叱られて**、部屋の隅で縮こまり、くんくん鳴いていた）　▶▶▶D

というような内容の文も、わざわざ"**Being〔Having been〕scolded** by his owner, ..."まで書かなくても「**因果関係**」がはっきり表されるのである。

覚えたい重要例文

A. 受動態の分詞構文

Made by Seiko, this watch is extremely expensive.
（セイコーによって**作られた**この時計は、非常に高価なものである）

B. 受動態の分詞構文

Translated in a classical literary style, this Baudelaire poetry collection is my favorite book.
（文語体で**翻訳された**このボードレールの詩集は、私のいちばん好きな本です）

C. 「原因・理由」を表す受動態の分詞構文

Forgotten by his former colleagues and students, the professor led quite a lonely life after his retirement.
（退職後、その教授はかつての同僚や教え子に**忘れられてしまって**、かなり孤独な生活を送っていた）

D. 「原因・理由」を表す受動態の分詞構文

Scolded by his owner, the little cocker spaniel cowered in a corner of the room and whimpered.
（その小さなコッカースパニエルは、飼い主に**叱られて**、部屋の隅で縮こまり、くんくん鳴いていた）

former＝かつての　retirement＝退職、引退
cower＝すくむ、縮こまる　whimper＝弱々しく鳴く

▶▶▶ 分詞構文 ③

忘れてはならない
分詞構文のルール

Written in **Basque**, the letter was impossible for me to read.
(その手紙はバスク語で**書かれていた**ので、私には読めなかった)

主語が一致しないと不条理な英文が出来上がる

　これまで紹介してきた2種類の**分詞構文**（**現在分詞**を使った形と**過去分詞**を使った形）には、共通点が1つある。それは、**分詞の意味上の主語**と**文の主語**が同じだ、という点である。**現在文詞**の場合、たとえば、

> **Discovering** herself lost, **she checked on** her current location by means of GPS.
> (道に迷ってしまったことに**気づいて**、**彼女は**GPSで現在地を**調べた**)　　　　　　　　　　▶▶▶A

という場合なら、**Discovering**の主語は、必然的にchecked onの主語と同じsheになる。私が受け持っている「英作文」

168　Chapter 3　一歩進んだ英語表現を目指して

の授業を受けている大学生がたまにこれを忘れて、たとえば、「山頂まで登ると、とてもきれいな青空だった」のつもりで

> **Reaching** the top of the mountain, the **blue sky** was very beautiful.
> (**青空**が山頂**まで登る**と、その**青空**はとてもきれいだった)

のような文を書いてしまうことがある。この問題を避けるために、たとえば、

> **Reaching** the top of the mountain, I **found** the blue sky to be very beautiful.　　　▸▸▸B

のように、文詞の意味上の主語を文の主語と一致させればいい。
　一方、**過去文詞**の場合、たとえば、

> **Smashed up** with a sledgehammer, **the chair was useless**.
> (大ハンマーで**打ち壊されていて、その椅子は使いものにならなかった**)　　　▸▸▸C

という場合なら、**smashed up**（打ち壊された）の主語は、必然的に **was useless**（使いものにならなかった）の主語と同じ "**the chair**" になる。時々、大学生がこれも忘れて、たとえば、

---

discover＝気づく、悟る　current＝現時点の
location＝場所　by means of＝～の手段によって
GPS＝Global Positioning System（全地球測位システム）　reach＝到達する
smash up＝打ち壊す　sledgehammer＝大ハンマー　useless＝役に立たない

「その手紙はバスク語で**書かれていた**ので、私には**読めなかった**」のつもりで、

> **Written** in Basque, I **couldn't read** the letter.
> （**私が**バスク語で**書かれた**ので、私はその手紙を**読めなかった**）

のような文を書いてしまうことがある。この問題を避けるために、前出の**現在分詞**の場合と同じように、

> **Written** in Basque, **the letter** was impossible for me to read.　　　▶▶▶**D**

のように、文詞の意味上の主語を文の主語にすればいい。
　なお、現在分詞の場合、例外に見える言い回しがある。それは、たとえば、

> **Frankly speaking**, this **wine** has a vinegar smell.
> （**正直に言えば**、この**ワイン**は酢の匂いがする）　　▶▶▶**E**

> **Strictly speaking, peanuts** are legumes, not nuts.
> （**厳密に言えば、ピーナッツは**ナッツではなく、マメである）　　▶▶▶**F**

などのように、文詞の意味上の主語が文の主語とは一致しない

170　Chapter 3　一歩進んだ英語表現を目指して

独特な書き方だ。ただ、これは少数の慣用表現に限られ、特別なケースである。こうした文は、

Frankly speaking, I would say that this wine has a vinegar smell.

Strictly speaking, one should say that peanuts are legumes, not nuts.

などのような文から、主語と動詞が省略された、と考えられるのだ。

覚えたい重要例文

A. 分詞の意味上の主語を一致させる

Discovering herself lost, **she checked on** her current location by means of GPS.
(道に迷ってしまったことに**気づいて**、**彼女は** GPS で現在地を**調べた**)

B. 分詞の意味上の主語を一致させる

Reaching the top of the mountain, I **found** the blue sky to be very beautiful.
(山頂**まで登ると**、とてもきれいな青空だった)

vinegar＝酢　legume＝マメ科の植物

C. 分詞の意味上の主語を一致させる

Smashed up with a sledgehammer, **the chair was useless**.

(大ハンマーで**打ち壊されていて**、その**椅子は使いものにならなかった**)

D. 分詞の意味上の主語を一致させる

Written in Basque, **the letter** was impossible for me to read.

(その**手紙は**バスク語で**書かれていた**ので、私には読めなかった)

E. 現在分詞の慣用表現

Frankly speaking, this **wine** has a vinegar smell.

(**正直に言えば**、この**ワインは**酢の匂いがする)

F. 現在分詞の慣用表現

Strictly speaking, peanuts are legumes, not nuts.

(**厳密に言えば、ピーナッツは**ナッツではなく、マメである)

▶▶▶ 倒置

倒置を使いこなす

Barely **had he begun** to speak about
the death of his turtle
when he suddenly burst out crying.
(飼っていた亀の死について話し**始めるやいなや**、
彼は突然泣きだしてしまった)

英語で使われる様々な倒置

　基本的に語順で意味が決まってくる言語である英語にとって、**倒置**という**用法**は重要だ。一般の日本人学習者にとって最も馴染みのある**倒置**は、おそらく

　　She is a good dancer. → **Is she** a good dancer?
　　(彼女はダンスが上手です) → (彼女はダンスが上手ですか?)

のように、**疑問文**での主語と述語動詞の**倒置**であろう。似たような**用法**では、

> **There was** a cockroach in the sink. → **Was** there a cockroach in the sink?
> (流し台にゴキブリがいました) → (流し台にゴキブリがいましたか？)

のように、「There ＋ be 動詞」→「be 動詞 ＋ there」という倒置もあるが、これも学校英語で十分に教わっているようである。

　疑問文についてあまり**教わっていない**と思われる用法は、せいぜい「**倒置しない疑問文**」くらいだろう。「**倒置する疑問文**」と「**倒置しない疑問文**」には、次の違いがある。

> **Atsushi is** in New Zealand now. → **Is Atsushi** in New Zealand now?
> (厚志は今ニュージーランドにいます) → (厚志は今ニュージーランドにいますか？)

という**倒置するほう**に対して、**倒置しないで**

> What? **Atsushi is** in New Zealand now?

と訊くと、「えっ？　厚志は今ニュージーランドに**いるのですか**？」のように、**確認を求めている**質問になる。書くときは**疑問符**「？」を付け、話すときは、ふつうの質問のイントネーションと同じように、**語尾を上げる**のである。

　次に、「**so、neither、nor** が**文頭**に来るときの**倒置**」、つまり、

• **Atsushi**: I want to go to New Zealand.
（厚志：ニュージーランドに行きたい）
Mariko: **So do I.**
（まり子：私も）　　　　　　　　　　　　　　　▶▶▶**A**

• **Saeko**: I'm not satisfied by his explanation.
（佐江子：私は、彼の説明には納得できない）
• **Keiko**: **Neither [Nor] am I.**
（恵子：私も）

という**用法**も学校英語で十分に教わっているはずだが、一般の日本人の大学生は、なぜか、これを忘れがちである。

なお、比較的にマイナーな**倒置用法**でありながらもたいていの英文法書で紹介される「**多くの場合**、直接話法の伝達部で**被伝達文を前に出すとき**には、話者が**代名詞**なら〈S+V〉の順であるが、**名詞**の場合には**倒置**する」というのもある。これは

"Have you done your homework?" the **teacher asked**. → "Have you done your homework?" **asked** the **teacher**.
（「宿題はしてきましたか？」と先生は訊いた）

のような**倒置**である。ちゃんとした用法ではあるが、いわば「伝統的物語風」な言い方であり、いささかおとぎ話っぽい感じを与える。なお、こうした**倒置**は、

cockroach＝ゴキブリ

Quoth the **Raven**, "Nevermore."
(大鴉(おおがらす)は言った。「二度とない」)

のように、**被伝達文を後に出すとき**にもあることはあるが、極めて珍しい。

　これより大事な**倒置用法**として「**強調のための倒置**」が挙げられる。まず、「**目的語・補語を文頭に出す**」という用法だ。目的語の場合、たとえば、

　A lie like that she would never tell.
　(**そんな嘘なんて**、彼女がつくはずはない)　　　▶▶▶**B**

というような書き方が典型的である。もちろん、

　She would never tell **a lie like that.**
　(彼女が、**そんな嘘を**つくはずはない)

と書いても差し支えないのだが、そうすると、「**そんな嘘**」という部分への**強調**がなくなってしまう。

　似たような**用法**であるが、「**補語を文頭に出す**」という書き方もある。新約聖書の「八福」にある

　Blessed are the merciful, for they will be shown mercy.
　(**幸せなのは**、哀れみ深い者である。彼らは哀れま

176　Chapter 3　一歩進んだ英語表現を目指して

れるからだ）

という文がその例だ。これを

> The merciful are **blessed,** for they will be shown mercy.
> （哀れみ深い者は**幸せ**である。彼らは哀れまれるからだ）

と書いても差し支えないのだが、そうすると「**幸せなのは**」への**強調**がなくなってしまう。
　また、次の文のように、「**否定語を文頭に出す**」という**強調**もある。

> <u>**Not**</u> one of the songs **had I heard** before.（≒ I had not heard any of the songs before.）
> （それらの歌の1曲も以前に**聴いたことがなかった**）　▶▶▶C

あるいは、

> <u>**Barely**</u> **had he begun** to speak about the death of his turtle when he suddenly burst out crying. (≒ **He had** barely **begun** to speak about the death of his turtle when he suddenly burst out crying.)

---

quoth＝言った（古語）　raven＝オオガラス（大鴉）　blessed＝幸いなる
merciful＝慈悲深い、哀れみ深い　mercy＝慈悲、哀れみ
turtle＝カメ　suddenly＝突然　burst out＝突発する

（飼っていた亀の死について話し**始めるやいなや**、
　彼は突然泣きだしてしまった）

のように、「**否定語句**を文頭に出す」**用法**もある。似たような強調として、

> <u>**Only**</u> twice **has she** ever **complained**.（≒ She has only ever **complained** twice.）
> （**たった2度しか**、彼女は文句を言ったことがない）　▸▸▸D

のような **only** を文頭に出す例が挙げられる。
　もう1つ、次のような例も紹介しておこう。

> <u>**Up**</u> **went** the falcon, like a rocket.（≒ The falcon **went up** like a rocket）
> （そのハヤブサは、ロケットのように、**一直線に飛び上がった**）　▸▸▸E

ちなみに、**強調**はともかくとして、英文を書くときに、たまに**倒置用法**を使うと、**文体が単調になることを避けられる**、というメリットもある。

覚えたい重要例文

A. soが文頭に来る倒置

A: I want to go to New Zealand.
(ニュージーランドに行きたい)
B: **So do I**.
(私も)

B. 目的語を文頭に出す倒置

A lie like that she would never tell.
(**そんな嘘なんて**、彼女がつくはずはない)

C. 否定語を文頭に出す倒置

Not one of the songs **had I heard** before.
(それらの歌の1曲も以前に**聴いたことがなかった**)

D. onlyを文頭に出す倒置

Only twice **has she** ever **complained**.
(**たった2度しか**、彼女は文句を言ったことがない)

E. upを文頭に出す倒置

Up went the falcon, like a rocket.
(そのハヤブサは、ロケットのように、**一直線に飛び上がった**)

complain＝不平を言う　falcon＝ハヤブサ

▶▶▶ 一般論 と we

weの使用が多すぎる

When **university students like us** get tired from our classes, **we** can refresh ourselves in natural surroundings.
(**私たち大学生**が授業で疲れてきたときには、自然の環境の中で元気を回復できます)

---

youにするかoneにするかpeopleにするか？

英語で一般論を述べるときに、

> **You** can't make an omelette without breaking eggs.
> (卵を割らずにオムレツは作れない) ▶▶▶A

のように、**you**を主語にするケースが多い。こうした**you**は「あなた」という意味を表す二人称の代名詞ではなく「人一般を指す**総称**用法」の**you**である。改まった英文では、同じ**総称**になる**one**を使って

One can't make an omelette without breaking eggs.

と書けばいい。あるいは、

People will talk.
（世間は口さがない）　　　　　　　　　　　　▶▶▶B

のように、**people** も頻繁に用いられる。日本語が便利なのは、

老犬に新しい芸は仕込めない
(**You** can' teach an old dog new tricks.)　　　▶▶▶C

のように、「主語なし」で済むことだ。
　日本人の大学生が書いた英作文を読んでいると、この十数年の間に you の使用は少し増えているが、one の使用は完全になくなっている、ということが分かる。また、たまには **people** を主語にするケースも見られるが、何よりも、**we** の使用がやたらに多いという特徴が目につく。話の内容によって **we** を使っても差し支えないケースは当然あるのだが、そうとは言えない次の文を考えてみよう。

Nature is wonderful. Why do **we**① like nature? First, **we**② have a tradition of respecting nature in Japan. Also, when **we**③ get tired from our

omelette＝オムレツ　tradition＝伝統　respect＝尊重する

classes, **we**⁴ can enjoy nature to refresh ourselves. For example, from our campus **we**⁵ can easily go to some place that is rich in nature, like Mt. Takao.
（直訳：自然は素晴らしいものです。なぜ**私たち**①は自然が好きなのでしょうか？ まず、**私たち**②は日本の自然を重んじる伝統を持っています。それに、**私たち**③が授業で疲れてきたときに、**私たち**④は元気を回復するために自然を楽しむことができます。たとえば、私たちのキャンパスから**私たちは**⑤高尾山のような自然にあふれた場所に容易に行けるのです）

この英文には、we の使用以外の問題も多いが、まず、we だけに焦点を絞ってみたい。
　"**we**①" は、「**私たち人間**」を指しているようなので、**people** を使って、

　Why do **people** like nature?

と書き換えてもいいのだが、"**we**②" となると、同じ代名詞 we の意味が急に「**私たち人間**」から「**私たち日本人**」と**限定されて**しまう。それを表すためには、we を使わず、

　First, **Japanese people** have a tradition of respecting nature in Japan.

と書き換えればいい。また、"we[③]"と"we[④]"はどうやら「**私たち大学生**」と**さらに限定された**意味で用いられているようである。この文を

When **we university students** get tired from our classes, **we** can enjoy nature to refresh ourselves.

と書き換えれば、そうした限定がはっきりしてくるので問題ない。最後に、"we[⑤]"は明らかに「**我が大学の私たち学生**」と、また**もう一段階限定されて**いる。これも we を使わず、

For example, **students at my university** can easily go from our campus to some place that is rich in nature, like Mt. Takao.

のように書けばいい。

　しかし、上記のように訂正したとしても、まだ we の使用以外の問題が残っている。2番目の文は、

Why do **people** like nature?
（なぜ**人**は自然が好きなのでしょうか？）

と理由を訊いているが、それに続く

---

refresh＝元気を回復させる　easily＝たやすく　rich＝富んだ、恵まれた

First, **Japanese people** have a tradition of respecting nature in Japan.
（まず、**日本人**は日本の自然を重んじる伝統を持っています）

という文は全然その理由になっていない。それ以降の文も、「人間一般」についての話ではないので、英文全体を大幅に書き直す必要がある。最小限の訂正として、たとえば

① Nature is wonderful, and **people** love it. ② Also, **Japanese people** have a tradition of respecting nature. ③ When **university students like us** get tired from our classes, **we** can refresh ourselves in natural surroundings. ④ **Students at my university**, for example, can easily go from our campus to Mt. Takao, an area rich in nature.
（自然は**人間**の大好きな、素晴らしいものです。そして、**日本人**には自然を重んじる伝統があります。**私たち大学生**が授業で疲れてきたときには、自然の環境の中で元気を回復できます。たとえば、**私が通っている大学の学生**は、キャンパスから容易に自然豊かな高尾山に行けるのです）

のように直せばいい。そうすれば、

①自然と人間についての一般論
②日本人についての一般論
③大学生についての一般論
④筆者本人が通っている大学の学生についての一般論

が自然に述べられるのである。

覚えたい重要例文

A. you [one]が主語の一般論

You [one] can't make an omelette without breaking eggs.
(卵を割らずにオムレツは作れない)

B. peopleが主語の一般論

People will talk.
(世間は口さがない)

C. youが主語の一般論

You can' teach an old dog new tricks.
(老犬に新しい芸は仕込めない)

surroundings＝環境

▶▶▶ 手紙の書き方

礼状の書き方を考える

英文レターのルールとは？

　留学でもビジネスでも、英語圏の人と交流をしたあと、日本人はお礼の手紙を書く機会がかなり多いようで、私が添削を頼まれることも多い。気持ちが伝わればいいという考え方もあるかもしれないが、最低限のルールは守りたいものだ。本書の最後に、少しだけ英文レターの書き方について考えてみよう。

<u>Dear</u> Mr. and Mrs. Sandler,
①

<u>Thank you so much</u> for <u>taking the time to</u> show
②　　　　　　　　　　　③
<u>me around</u> Sydney. I had a wonderful day.
④

<u>In particular</u>, the Royal Botanic Gardens were very
⑤
impressive, and our kayak-tour around the harbour was truly exciting.

Sydney was even more beautiful than I <u>had imagined</u> it would be, and <u>I look forward to the chance</u>
⑥　　　　　　　　　　　　⑦
to visit again someday. <u>In the meantime</u>, if you ever
　　　　　　　　　　　　　⑧

186　Chapter 3　一歩進んだ英語表現を目指して

have occasion to visit Japan, I do hope you will let me know. I would love to show you some of my favorite places in my hometown of Kamakura.

With warmest regards and appreciation,

Masaki Fujimori

親愛なるサンドラー夫妻

滞在中は、シドニーを案内していただき本当にありがとうございました。とても楽しい一日を過ごせました。

特に、王立植物園は非常に素晴らしく、カヤックで巡る湾内のツアーも実にエキサイティングでした。

シドニーは私が想像していた以上に美しく、いつかまた訪れる機会があることを楽しみにしています。そのときまでに、もしお二人が日本を訪れることがあれば、ぜひご連絡ください。私の故郷である鎌倉のお気に入りの場所にぜひお連れしたいと思います。

敬具

藤森正樹

---

impressive＝感銘を与える　occasion＝場合、機会

[解説]

① **Dear** Mr. and Mrs. Sandler,

　書き出しのあいさつの文句 **Dear** を使うのに慣れていない若者がいるようだ。友だち同士のメールでは「**Dear** 抜き」がふつうであり、相手の名前さえ書かないことが多いかもしれないが、ちゃんとしたお礼の文章なら、メールでも **Dear** を使ったほうがいい。

② **Thank you so much**

　"Thank you **so** much" という決まり文句の代わりに "Thank you **very** much" でもいいのだが、その後の文にも **very** を使いたいことがあるだろう。そしてそれは **so** が **very** の代わりにはならないケースかもしれない、と十分に想像できるので、**very** の繰り返しを避けるために、ここがチャンスとばかりに **so** を使えばいい。

③ **taking the time to**

　ここでは、**taking the time to** を省き、率直に "Thank you so much for **showing me around Sydney**" と書いても問題ないが、**taking the time to** を挟むと「(他にいろいろすることがあったはずなのに) **わざわざ私のために**」といったフィーリングが表せるので、ぜひそうしたい。

④ **show me around** Sydney.

　「案内する」話だが、**guide** という動詞を使わないことがポイ

ントである。もちろん、"**guide** me around Sydney"という表現が適切なシチュエーションもあるが、それは、おおざっぱに言えば、2つくらいしか思いつかない。1つは、案内する人がプロの「ガイドさん」という場合だ。もう1つは、盲導犬のことを英語で"**guide** dog"と言うように、案内される人に視覚障害があるため、歩行を助け、目的の場所まで安全に誘導してもらう必要がある場合だ。

⑤ **In particular**, the Royal Botanic Gardens were very impressive, and our kayak-tour around the harbour was truly exciting.

　ただ「全般に楽しかった」と述べるだけではなく、1つか2つくらい「特によかった」という具体的な例を挙げると、説得力が出る。

⑥ Sydney was even more beautiful than I **had imagined** it would be,

　初めてシドニーを見て、美しいと思ったのはそもそも**過去**の話であり、まだ見たことのないときにその美しさを**想像**していたのは、**さらに過去**の話なので、**had imagined** という**過去完了**の表現を使う。

⑦ **I look forward to the chance to visit again someday.**
「あのときは楽しかった。ありがとう」といった趣旨の言葉で終わるのではなく、「またしたい」という思いを述べたほうが、

189

形だけのお礼ではなく「本当に楽しかった」という気持ちを伝えられるのである。ただし「また**すぐ**行きたい」といった感じの表現だと、相手はびっくりするかもしれないので、"the **chance** to visit again"（また訪れる**機会**）を入れ、あくまでも「そうした**機会があれば**」という話にしたほうがいい。また、それに **someday**（いつの日か）を付け加えれば、相手はさらにほっとするだろう。

⑧ **In the meantime,**
「現時点から、またもう1度シドニーに行くときまで」の間を表す "**In the meantime,**" は非常に便利な表現である。

⑨ **have occasion to** visit Japan,
　これは「あくまでも日本を訪れる**ことがあれば**」というニュアンスを出してくれる言い方で、「当然東京で会えるだろう」と思っているような印象を与えないために使う。

⑩ I **do** hope you will let me know.
　強調のために使われるこの **do** は、省いても特に差し支えないのだが、あると、「**ぜひ**」という気持ちが伝わるので、お勧めの用法である。

⑪ **With warmest regards and appreciation,**
　"Warmest regards," や "With warmest regards," "Best wishes," "With best wishes," など、英語には結辞の決まり

文句が数え切れないほどあるが、お礼の手紙の場合、前出のように、"... and appreciation,"を付け加えたほうがすっきりした結びの語句になる。

⑫ Masaki Fujimori

　本当は、英文でも日本語の順で **Fujimori Masaki** と書いたほうがいいと思うが、これはあくまでも個人の好みの問題である。

マーク・ピーターセン Mark Petersen

アメリカ・ウィスコンシン州生まれ。明治大学政治経済学部教授。コロラド大学で英文学、ワシントン大学大学院で近代日本文学を専攻。主な著書に『日本人の英語』『続 日本人の英語』『心にとどく英語』『実践 日本人の英語』(以上岩波新書)、『日本人が誤解する英語』(光文社知恵の森文庫)、『表現のための実践ロイヤル英文法』(共著／旺文社)、『日本人の英語はなぜ間違うのか?』(集英社インターナショナル)などがある。

なぜ、その英語(えいご)では通(つう)じないのか?

2016年4月10日　第1刷発行
2016年7月25日　第2刷発行

著　者	マーク・ピーターセン
発行者	館 孝太郎
発行所	株式会社集英社インターナショナル
	〒101-0064 東京都千代田区猿楽町1-5-18
	電話　03-5211-2632
発売所	株式会社集英社
	〒101-8050 東京都千代田区一ツ橋2-5-10
	電話　読者係03-3230-6080
	販売部03-3230-6393(書店専用)
印刷所	図書印刷株式会社
製本所	ナショナル製本協同組合

定価はカバーに表示してあります。

本書の内容の一部または全部を無断で複写・複製することは法律で認められた場合を除き、著作権の侵害となります。
造本には十分注意しておりますが、乱丁・落丁(本のページ順序の間違いや抜け落ち)の場合はお取り替えいたします。購入された書店名を明記して、集英社読者係までお送りください。送料は集英社負担でお取り替えいたします。ただし、古書店で購入したものについてはお取り替えできません。また、業者など、読者本人以外による本書のデジタル化は、いかなる場合でも一切認められませんのでご注意ください。

© 2016 Mark Petersen. Printed in Japan.
ISBN978-4-7976-7320-3 C0082